徹底解説

エネルギー危機と原発回帰

水野倫之 Mizuno Noriyuki

山崎淑行 Yamasaki Yoshiyuki

JN025838

NHK出版新書

702

はじめに

いま、私たちは岐路に立たされています。日本はエネルギーをどうすべきか。進む道は自分たちで決めなければなりません。それにあたって、目の前に懸案が大きく二つあります。

一つは生活や産業活動を支えるエネルギーを当面〝常識的な〟価格で確保し続けるにはどうしたらいいか、つまり私たちが普通に生活していくために、どのようなエネルギーを将来に向けて開発していくべきか、これを決めていく必要があります。

もう一つは政府が原子力発電所の活用へと大きく舵を切る中、本当に私たちが原発を〝安全に使いこなせるのか〟という点です。日本は12年前の2011年に福島第一原子力発電所で、旧ソ連のチョルノービリ（チェルノブイリ）原発に次ぐ世界最悪レベルの事故を起こした国です。〝想定外〟が起きても大事故を防ぐための体制がその後、準備できているのか。それを見極めることが必要です。そうでなければ、いつの日か、再び原子力発電所で大事故が発生し、故郷を失う人が出ることになるかもしれません。

さて、エネルギーをめぐって、いま世界は大きく揺れています。新型コロナウイルスのパンデミックで経済が停滞し、エネルギー消費はいったんは減少しましたが、その後の回復で再度、消費が増え、今度はエネルギーの生産が追いつかないという事態が発生しました。

また地球温暖化対策で各国が再生可能エネルギーの普及に力を入れる中、産油国は生産量を長期的に減らしつつあります。新たな油田や精油施設の開発はペースダウンしているため、急に必要と言われても対応できない。こういった化石燃料に関する大きなトレンドもエネルギー不足に影響を与えています。

そして2022年には決定的な出来事が起きました。大国ロシアによるウクライナへの軍事侵攻です。世界の政治経済の秩序が崩れ、再び米ソの冷戦時代に戻ったかのように世界の分断が進みつつあります。ロシアは世界有数の資源国です。火力発電の燃料として利用が進む天然ガスの埋蔵量は世界第1位です。そして石炭は第2位、石油も第6位です。

そうした中で、日本も含めた欧米の陣営はロシアに経済制裁を科し、その結果、ロシアからのエネルギーの供給量は大幅に低下。各国でエネルギー価格が急騰《きゅうとう》しました。日本でも電気料金、ガス料金が大幅に上昇し、生活を圧迫しています。こうした状況に不安を覚える方は多いと思います。

改めて、エネルギーとは何でしょうか。言うまでもなく食糧と並び、私たちが生きていくうえで不可欠なものです。

人類の歴史は、エネルギーによって形成されてきた、と言っても過言ではありません。近代だけを振り返ってみてもそうです。石炭とその後の石油の発見によって、世界の工業化は大きく進みました。

およそ80年前、日本はアメリカと大きな戦争をしました。太平洋戦争です。産業を支えていた石油をアメリカに押さえられたことが日米開戦のきっかけでした。この戦争で日本だけでも300万を超える人命が失われ、国土は焼け野原となり、アジアなど多くの国を巻き込みました。

そして戦後。日本は世界が驚くほどの高度経済成長を果たします。戦後の発電の主力の一つはダムによる水力発電でした。しかし大規模な河川開発を伴うダムの建設には時間もかかり、限界があります。そこで石炭火力も増設されました。そして1960年代以降、石油を使う火力発電が主体になっていきます。それでも発電量の不足が懸念されるなどして、原子力発電所の導入が始まります。その原発がのちに福島で大事故を起こし、多くの人たちが生活の場を奪われることになるとは、当時、いったい誰が想像したでしょうか。

また1970年代まで続いた日本の驚異の高度経済成長に終止符を打ったのもエネルギーでした。中東で勃発《ぼっぱつ》した戦争をきっかけに、原油価格が高騰しました。いわゆるオイルショックです。このオイルショックによって、燃料としての石油だけでなく、石油を原料としてつくられている製品も不足します。不安が不安を呼びトイレットペーパーがなくなるといった噂《うわさ》が広まり、人々がスーパーに我先《われさき》にと押しかけ買い占めも起きました。

このように時代の転換点には、いつもエネルギーが関わっています。そして、いま、またそのエネルギーをきっかけとして時代が大きく変わろうとしています。私たちはこの変革期にどう向き合い、どこに活路を求めればいいのでしょうか。

福島第一原発事故のあと、いったんは縮小方向だった原子力発電所の利用について、政府は2022年12月、最大限活用するための行動指針をまとめて基本方針を発表しました。これは政策の大転換です。

確かに原発は運転している間は二酸化炭素を出さない脱炭素の電源です。また1基あたりの出力も大きく、既存原発を活用するのであれば電気料金高騰の原因の一つとなっている火力発電の燃料費抑制にもつながります。そのため、世界でもヨーロッパを中心に原発回帰の動きがあります。

しかし、見落としている課題はないでしょうか。

私たち二人は、日本と世界を震撼《しんかん》させた福島第一原発事故の際、その解説をスタジオで担いました。「全電源喪失!」「メルトダウンのおそれ!」「1号機が爆発!」「使用済み燃料プールも危ない!」——。12年前の3月、スタジオに次々と届く危機的な報に恐怖を覚え、冷や汗が流れたことは忘れられません。

日本人は、3基の原子炉の燃料がメルトダウンするという世界最悪レベルの事故を目の当たりにしました。政府と東京電力は最長40年で廃炉を完了させる目標を立てましたが、事故から10年以上経っても廃炉完了への道筋は見えていません。

さらに使用済み核燃料の後始末の問題など、原発が抱えている数々の課題はこれまでも指摘されていますが、まだ解決されていません。本来であれば、課題解決への道筋を示してから次へと進むべきですが、原子力政策は長年あいまいにされた部分を残し、事故の総括がきちんとなされないままです。そうした中で、再び原発推進へ舵を切ることを政府は決めたわけです。「このままでは近い将来、解決がより困難なものとなって、次の世代に重くのしかかることになりかねない」。そのことを心配し、私たちはいま議論すべき点について、筆をとることを決めました。

本書の立場は、原発反対でも原発推進でもありません。あの事故の教訓は一体何だったのか、次に活かすにはどうしたらよいのか。業界をおよそ30年にわたって取材してきた著者二人の目に映った日本の原子力政策の姿を忖度《そんたく》なく机上に載せます。火力発電や再生可能エネルギーも含めて日本のエネルギーはどうあるべきか、みなさんが考える材料にしてほしいと思っています。

一つ、読み進めるうえで心に留めておいてほしいことがあります。それは、どのようなエネルギーを選択しようと、必ず長所と短所がある、ということです。再生可能エネルギーも万能ではありません。だからこそ前例踏襲ではなく〝創意工夫〟で〝新しい枠組み〟を見出し、〝現実的な選択肢〟を選び出すことが、いま求められています。決めるのは、私たち国民です。

徹底解説　エネルギー危機と原発回帰　目次

序章　エネルギー危機は何をもたらしたのか

ラジオ番組に届いた切実な声

歴史的とも言えるエネルギー危機が、私たちの生活を脅《おびや》かしている。例えば、エネルギー価格の急騰。これが今後も続くとなると、日々の暮らしと日本経済に与える影響は甚大《じんだい》だ。

「毎月毎月、電気とガスの請求書を見るのが怖くなります」「出費ばかり増えてスーパーでは値札を確認、閉店前の安売りを狙っています」「年金生活者はこのままでは生活が成り立ちません。切り詰めるにしても限界があります」。

これらは、私、山崎が担当するラジオ番組に寄せられた声のほんの一部である。幅広い品目で価格が上昇している理由は、どのような製品やサービスでも、それを生み出すためにはエネルギーが必要だからだ。パンをつくるにも工場で電気やガスを使うし、その原料を運ぶ車や船も燃料がないと動かない。サービス業でもオフィスや事務所で光熱費がかかる。

エネルギーは様々な生産活動に不可欠なのだ。そこに運悪く世界的な天候不順なども加わり、小麦やトウモロコシといった品目も高騰している。こうした要因が重なり、物価が記録的に上がってしまった。２０２２年12月の消費者物価指数では、衝撃的な数字が発表されている。前年同月比で41年ぶりとなる4％の上昇を記録。これは昭和の高度経済成長を終わらせたオイルショック以来の上昇になる。

さらによくないのは、賃金がこの物価上昇に追いついていないことだ。オイルショック当時は賃金も物価にほぼ比例する形で上がっていた。しかし、バブル崩壊後、低賃金の状態が長らく続く日本経済の構造ゆえに、賃金が思うように上がらない。とりわけ高齢者世帯やシングル世帯など生活弱者から窮状《きゅうじょう》を訴える声が多くあがっている。

物価高騰を招いたエネルギー危機の発端は、「はじめに」で書いたようにロシアによるウクライナ侵攻だ。ただ、それだけではない。新型コロナのパンデミックからいち早く回復を果たした欧米で、エネルギーの消費量が増え始めていたこと。また、各国の金融政策の違いも影響した。これが日米の金利差による円安傾向を生み、2022年10月には32年ぶりに為替が1ドル＝150円台に乗るなどして、連日、経済ニュースをにぎわせることになった。

欧米で消費などが活発化して需要が戻り、物価が上がったことから各国が金利を引き上げて景気の過熱を防ごうとしたからだ。一方で日本は、長らく続くデフレ経済からの脱却と景気回復に向けて異次元の金融緩和策（金利を極めて低くして市中に多くのお金を供給する政策）を継続。こうなると低金利の日本円を持つよりも高金利のドルを持っておいたほうが得をする。こうしてドルに対して円は売られ、円安が進み、円建てでの原油やガスの価格がアップした。

ロシアの軍事侵攻に加えて、こうした複数の要因が物価を押し上げたのだ。

なぜ物価高騰はすぐには収まらないのか

私たち市民の生活も苦しいが、大量にエネルギーを使う企業にとっても、今回のエネルギー価格高騰はダメージが大きい。企業の規模に関係なく、どの経営者を取材しても「もう大変ですよ、信じられないくらいエネルギーの支払いが増えています」とか、「せっかくコロナ禍が終わって業績が回復してきたと思ったら、今度は電気・ガスの支払いで、経営が立ち行くかどうか」などと、懸念の声が多く聞かれる。

山口県のある映画館の館長は「新型コロナの感染対策で映画館に人が入らなくなって文化芸術関係はギリギリの状況が続いていた。そんな中でそろそろお客も戻り始めたかなというときに、このエネルギー価格の高騰。ホールや客席など広い空間のある映画館では、冷暖房費は馬鹿にならないし、上映にかかる電気代も必ず必要なもの。経営に二重苦、三重苦だ」と厳しい顔で話す。このように、文化芸術分野にも深刻な影響が及んでいる。

もっとも、驚異的な物価高騰は日本だけではない。EU（欧州連合）はロシア産の安いエネルギーへの依存を強め、特に天然ガスは約4割を頼っていたため、影響が大きく出た。軍事侵攻に対する経済制裁でロシア産のエネルギーの購入を大幅に減らしたことが、自国のエネルギー不足に拍車をかける結果となったのだ。

ロシア以外の国にエネルギーの購入先を切り替えようにも、他国も増産への準備はすぐにはできない。供給が不足すると価格は上昇するため、日本がオイルショック以来41年ぶりの4％の上昇となった2022年12月の消費者物価指数で比較すると、ドイツは前年同月比8・6％と日本の2倍あまり、イギリスは同10・5％と4ヶ月連続で二桁の上昇率を記録した。市民生活は厳しい状況に追い込まれ、各国で大規模なデモや、賃金アップを要求するストも頻発した。

この世界的、歴史的なエネルギー高騰の痛みを何とか和らげようと、各国は様々な支援策を打ち出している。日本政府も異例の対策を打ち出した。2023年1月の使用分（2月の請求）の電気料金から、1kWhあたり7円の補助を適用している。これにより、平均的な家庭の電気料金は1月の請求分と比べて1600円から1800円ほど値下がりするとの試算だ。だいたい2割くらい安くなっているはずである。

ところが、電力各社は経営的に苦しい今の状況から脱するため、新年度を迎えるにあたり値上げの申請を政府に行っている。つまり、2023年春以降、もう一段電気料金がアップするということだ。そうなると、せっかくの補助の恩恵も打ち消されてしまう。また、この補助も永続的なものではない。仮に長く続いたとしても、税収を圧迫し、将来世代につけを回すことになる。補助はあくまで一時的に痛みを緩和するための対症療法でしかない。

この物価高騰はすぐには収まらない見通しだ。専門家を取材すると、エネルギー価格は当分は高い水準で推移するというのが大半の答えだ。2023年に入り、上昇率はいくぶん落ち着いてきたものの、発端となったロシアの軍事侵攻の終わりは見えず、日本の金融緩和策も新しい日銀総裁のもと、当面は継続する方針が示されており、円安傾向が続くと考えられる。発電所を新設しようにも一定の時間がかかるため、少なくとも数年は高止まりが続くとする見方が大勢だ。

こうしたエネルギーをめぐる状況について、東京電力のある幹部は、〝最悪のタイミング〟だと言う。「福島の原発事故で日本が原発の利用を大幅に減らし、いったん止めた古

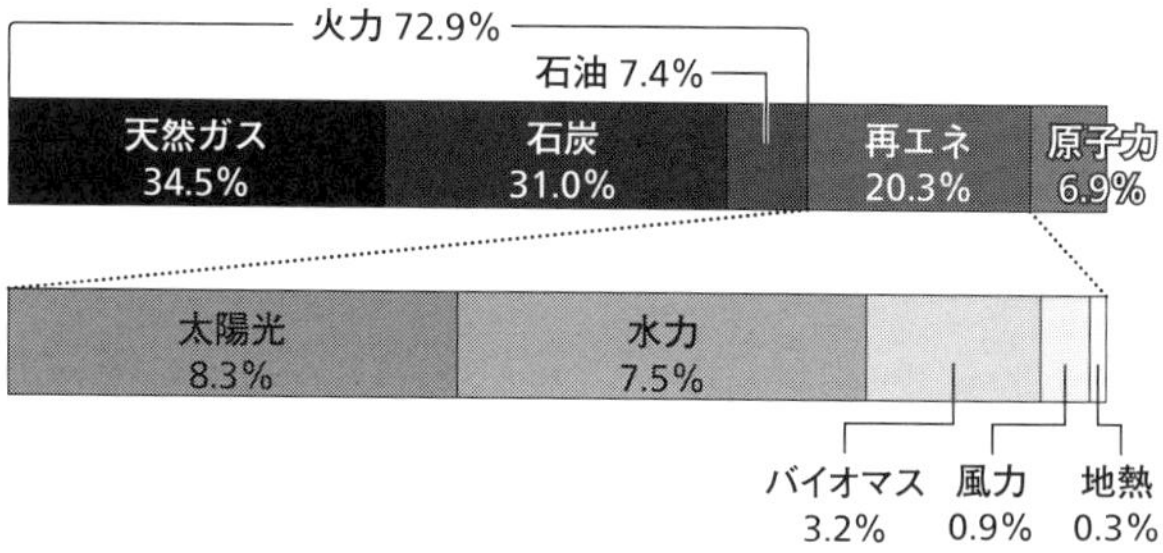

2021年度時点における日本の電源構成（経済産業省資料をもとに作成）

い火力発電にまで頼る状況に陥っている。また火力発電所の新規建設も二酸化炭素の排出量削減が課題となっていて思うように進まない。再生可能エネルギーの成長には時間がかかる。どの電源も課題を抱えていて、〝主力〟がいない状況。どうしてこの状況で前代未聞のエネルギー危機が起きてしまうのか。愚痴を言うつもりはないが、このタイミングは最悪だ」と。

２０１１年の福島第一原発事故のあと、安全性に関わる新しい規制基準がつくられた。原子力規制委員会の審査を受けてこの基準に適合しないと、原発は再稼働が認められない。そして新しい基準に基づくと、古くて出力の小さい原発については安全設備の増設などで多大なコストがかかることになるため、電力各社は廃炉の判断をするケースが相次いだ。

再稼働を目指す原発の審査も厳しく行われ、現在（２０

23年5月時点）再稼働した原発は10基。福島の事故前の50基あまりが稼働できた時代と比べるとおよそ5分の1の水準だ。かつて国内の総発電量のうち3割前後をカバーしていた原発は2021年度、1割にも届かない。代わりに火力発電がおよそ7割をカバーしている。

その火力発電の燃料となるのは液化天然ガス（LNG）、石炭、石油だ。もちろん、ほとんどを海外から輸入している。これらが軒並み高騰した結果、ロシアの軍事侵攻が起きた2022年の電気料金は約2割アップしたということだ。

再生可能エネルギーには頼れない

原発と火力発電の話をすると、「太陽光や風力発電など再生可能エネルギーがあるじゃないか！」という意見をもらうことがある。確かに、太陽光発電や風力発電は二酸化炭素を出さず、燃料費もかからない。そのため福島第一原発事故のあと、日本政府も太陽光発電を中心に普及に力を入れてきた。

「固定価格買い取り制度（フィードインタリフ）」という言葉を聞いたことのある人も多いだろう。対象となる再生可能エネルギーで発電した電気を一定量、東京電力など大手電力会社が国の定めた価格で買い取らなければならない仕組みだ。メガソーラーと呼ばれる広大な敷地にパネルを設置した発電所や、屋根に太陽光パネルを設置した家庭も増えた。

この制度は再生可能エネルギーのコストを広く電気の利用者が負担し合う仕組みでもある。電力会社は買い取りにかかったコストを契約者に毎月賦課《ふか》している。賦課金と呼ばれ、請求書に小さくその額が書き込まれている。電力会社がより多く買い取りを行うと、皆が負担する賦課金が増える仕組みになっている。2021年度は、平均的な家庭で年間1万円を超えたが、23年度は制度の一部変更も受けて下がる。

もっともこの制度のおかげで、特に太陽光発電の普及が進み、2011年以降、10倍を超える伸びとなっている。また風力発電の導入も進み、後述するように、ここ数年は洋上に設置するタイプの開発にも着手し、欧州諸国に後れをとってはいるものの、秋田などで稼働が始まっている。

ただし、再生可能エネルギー、特に太陽光や風力などの再生可能エネルギーの発電量は、原発や火力に比べると、どうしても小さい。自然任せで発電量も安定せず、太陽光は日中だけ、風力は風のある日だけという短所がある。周波数の調整も必要だ。

原発や火力発電の役割を肩代わりするには、より高効率なものを開発し、一定の規模で導入すること、そして蓄電池や送電網を整備することなどが必要になる。それには5年、10年単位の時間がかかるだろう。つまり、頼みの綱の再生可能エネルギーも、まだ普及の過渡期にあるのだ。

一方、脱炭素の対策などで二酸化炭素を出す火力発電所は新規の建設が進まず、廃止も相次いでいる。このため、日本の電力の供給力は低下し、2022年3月には季節外れの寒さにより、東京電力管内と東北電力管内で初めてとなる「電力需給ひっ迫警報」が出され、大規模停電のリスクが高まった。日本政府は老朽化した火力発電所を再稼働させるなどして急場をしのいだものの、6月には季節外れの暑さが襲来し、警報の一歩手前の「電力ひっ迫注意報」が出された。

2022年の夏、政府が7年ぶりの節電要請に踏み切らざるを得なかった背景には、こうした事情がある。いわば慢性的な電力不足となっており、その後も状況は変わらず、同年12月には冬の節電要請も行われた。

エネルギー価格の歴史的な高騰、そして、これまでにない不安定な電力供給――。安定的かつ合理的な価格でエネルギーを確保するにはどういう選択肢があるのか。安全の確保が大前提になるが、私たちは現実的な視点でその答えを見極めなければいけないところに来ている。

「大廃炉時代」と福島第一原発の廃炉

加えて日本は、これから廃炉の時代を迎える。福島第一原発事故のあと、21基の原発で廃炉が決まり、計24基となった。いずれ解体し廃棄しなければならない。

その中で最も困難を極めるのが、二つの原子炉がメルトダウンを起こした福島第一原発の廃炉作業となる。国は廃炉に最長40年かかるとの見通しを示しているが、すでに全体スケジュールは遅れている。

その福島第一原発では今後の作業の進捗を大きく左右する取り組みがいま進んでいる。一つは処理水の海洋放出の実施、もう一つが核燃料デブリの取り出しだ。

まず処理水の海洋放出について。福島第一原発の空からの映像をニュースなどで目にした人も多いだろう。発電所構内に整然と並ぶタンク、タンク、タンク。その数は増え続け、敷地内の森も伐採《ばっさい》し、いまや1000基あまり、総容量は140万t近くに及ぶ。一見、巨大な蜂《はち》の巣のようでもあり、巨大な生物が産み落とした卵が並んでいるようでもある。

タンクの高さはタイプによるが、1基15m前後。間近に立つとその大きさがよくわかる。

東京電力福島第一原子力発電所の敷地内に並ぶ処理水等のタンク（写真提供：共同通信社）

この一つひとつに、溶け落ちた核燃料を冷却したあとの水や、一部の放射性物質を取り除いたあとの水（処理水）が溜められているのだ。そしてこの水は、いまこの瞬間も増えている。なぜか。

12年前の2011年3月11日に起きた事故では、六つの原子炉のうち運転中だった1号機から3号機までが、冷却機能を失いメルトダウンを起こした。いまでも原子炉の中やその下に溶け落ちた核燃料が残っている。核燃料は周りの鉄などの構造物と混ざり合い固まった状態で、これを核燃料デブリと呼ぶ。その量は各号機あわせて推定約880t。これらの核燃料はいまでもわずかではあるが熱を出しており、24時間、水を注入して冷やし続けている。

冷却に使った水は核燃料に触れるため、汚染されてしまう。さらに原発の建屋《たてや》の破損した場所から雨水や地下水も内部に流れ込んでくる。こうして事故当初の5分の1程度に減ったものの、いまでも毎日約100tの汚染水が発生している。

汚染水は特殊なフィルターなどを備えた専用施設に配管で送られ、できるだけ放射性物質を除去しているが、とりわけ除去が難しいのがトリチウム、日本語で三重水素（³H）と呼ばれる放射性物質だ。水と組成が近いため、研究室内で少量を分離することはできても、大量に発生し続ける水の中から除去するのは、現実的なコストでは難しいという。

「それならタンクに溜め続ければよいのでは？」という意見もある。これについて政府と東京電力は、廃炉を進めるために今後、様々な設備をつくる必要があり、敷地にタンクがこれ以上増えると作業の支障になるとしている。このため、どこかに処理してタンクが増えないようにする必要があり、その処理先が海となった。

政府は2021年に海洋放出の方針を決定。東京電力は2023年夏ごろまでに放出を開始する計画を示し、原発の沖合1㎞の放出地点に向けて海底トンネルを掘るなど関連設備を設置している。

当然、海にトリチウムを含んだ水を流して大丈夫なのか、という疑問が湧《わ》いてくる。政府と東京電力は、トリチウムが自然界に存在し、体内にも微量にある放射性物質であることや、日本も含め各国の原発でも基準に従って日常的にトリチウムが放出されていることと、また今回の放出では国の基準の40分の1にまで大幅に希釈するなどの対応をとることから、沿岸で暮らす漁業者の年間の被ばく量は、一般の人の年間の被ばく限度とされる1ミリシーベルトの6万分の1から1万分の1程度に収まるとの試算を出している。

とはいっても、本当に基準は守られるのか、風評被害は大丈夫か。地元を中心に反対の声は根強く残っている。「事故後に失った生活を少しずつ取り戻してきたのに、この放出でまた生活を破壊されるのではないか」という住民の懸念はもっともだ。特に漁業関係者からの反発は強い。風評のため、せっかく再開した漁ができなくなることを心配している。海洋放出の動きはこれからもしっかり見極めていく必要がある。

もう一つ、作業が節目を迎えようとしているのが、核燃料デブリの取り出しだ。そもそも最長40年としている政府と東京電力が示したスケジュールでは、廃炉は大きく三つの期に分けて進めるとされている。

- 第一期は、使用済み核燃料を損傷している原子炉建屋から取り出し、安全な場所に移す作業の開始。

- 第二期は、核燃料デブリの取り出し開始まで。
- 第三期は、廃炉の終了まで。

第三期がかなり長くなるであろうことを考えると、大雑把《おおざっぱ》な分け方ではあるものの、いまはちょうど第二期にあたる。

そして、この核燃料デブリの取り出し作業こそ、福島第一原発の廃炉作業のうちで最も困難なものだと言われている。この取り出し作業に道筋をつけない限り、廃炉は終わらない。それだけ重要な局面を迎えているとも言える。

福島第一原発は、これまで東京など関東圏に電気を送り、暮らしと経済を支えてきた。国の政策に従い、東京電力が最初にアメリカから導入した象徴的な原発でもある。福島での廃炉を成し遂げることは、私たち日本人全員に課されたミッションであると言っても過言ではないだろう。

海洋放出の実施と核燃料デブリの取り出し着手という、廃炉の行く末を左右する重要なタイミングを迎えていることを、ぜひ多くの人に知っておいてもらいたい。

原子力政策の大転換

こうした状況の中で日本政府によってなされたのが、原発政策の大転換だった。2022年12月、総理大臣官邸で開催された重要会議でそれは示された。

この会議は脱炭素に向けたGX（グリーントランスフォーメーション）実行会議と言われるもので、そこで提示された基本方針は大きく二つの柱からなっている。「原発の新規建設」と「運転期間の実質的な延長」。福島第一原発事故以来、抑制的だった原発政策を、推進の方向に大きく舵を切ったということだ。

二つの柱をもう少し具体的に説明しよう。

①原発の新規建設

原発新規建設のキーワードは「次世代革新炉」だ。重大な事故が起きた際に溶け落ちる燃料を受け止め、原子炉を納めた格納容器の破損を防ぐための設備が設置されるなど、安全性を高めた原発を次世代革新炉と呼んでいる。政府はこれを将来の脱炭素の牽引役と位置づけ、当面、廃炉を決めた原発に限り、同じ敷地内で次世代炉に建て替えることを目指すとしている。

② 運転期間の実質的な延長

福島の事故以降、原発の運転期間は最長60年に制限されている。しかし、この上限は維持しつつも、原子力規制委員会の審査を受けている間や、差し止め裁判などで運転を停止している間は、原子炉や設備の劣化は進まないとして、この期間を運転期間から除外し、その期間分、60年を超えても運転できるようにしようというのである。実質的な延長である。

さらに、これらの方針を決める過程で開かれた経済産業省の審議会では、いずれも一定期間を経たあとに見直すこともありうるとしている。例えば、廃炉となった原発の「建て替え」だけでなく、同一発電所内で基数を増やす「増設」や、まったく新しい立地場所への「新設」、さらには運転期間の上限撤廃にも含みを持たせている。

これまで政府は福島第一原発の事故を教訓に、エネルギー政策の大方針を定めるエネルギー基本計画に「原発への依存度を可能な限り低減する」と明記してきた。つまり、抑制的な原子力政策が大原則だった。また、原子力規制委員会の審査に合格した原発については再稼働を進めるものの、「原発の新設や建て替えは想定していない」と国会で繰り返し答弁してきた。さらに原発の安全規制を定めた原子炉等規制法で、運転期間も原則40年、最長でも60年に制限してきた。

そこに今回の方針転換である。なぜ政府は方針を変えたのだろうか。理由について、この1年でエネルギー情勢が激変し、電力の安定供給と脱炭素の両立には原発を使い続けることが不可欠と判断したからだと政府は説明している。

先に触れたように、ロシアによるウクライナ侵攻で石油や石炭、天然ガスなどの化石燃料の価格が高騰している。それだけでなく、日本も権益を持つサハリンの天然ガス事業の運営会社をロシアが一方的に支配下に置くなど、ロシアの出方次第では日本のエネルギー安全保障に大きなリスクがあることが鮮明になった。「ここは原発しかない」となったのはそういう理由からだ。

ただ、政府関係者にとって、方針を決めるうえで決定的だったことがある。それは電力不足による広域停電の危機だ。すでに触れたように脱炭素の進展などで火力発電所の休止や廃止が相次ぎ日本の電力の供給力は低下している。２０２２年3月には東京電力管内と東北電力管内で初の電力需給ひっ迫警報が出された。政府は老朽化した火力発電所の再稼働で急場をしのいでいるが、慢性的な電力不足は続いている。

同時にエネルギーの脱ロシア、そして脱炭素も進める必要がある。70%以上を火力発電に頼る中、脱炭素の電源で政府が主力と位置づける再生可能エネルギーの活用はまだ20%にとどまり、原発を使い続けなければ、日本が国際公約した脱炭素の目標実現が危ぶまれるというのだ。そのため、特に経済界などから原発への期待がこれまでになく高まっていた。

当初、政府は世論の反発を警戒して原発回帰に舵を切ることに慎重だった。しかし、新たに大規模停電のおそれという電力危機が加わり、こうした状況であれば世論の理解も得られやすいという判断が働いていたと見られる。そうして2022年夏の参議院選挙での与党勝利も受けて、政策転換へ踏み切ることとなったのである。

世界で加速する原発回帰の動き

原発回帰の動きは、日本だけではない。エネルギーの脱ロシアを急ぐヨーロッパでも顕著だ。2022年の初頭、EUのヨーロッパ委員会は、条件つきながら原子力発電を地球温暖化対策に役立つエネルギーと位置づけた。脱原発を決めていたドイツなどは反発したが、その後ウクライナ侵攻が起き、原発回帰の動きが加速する。

すでに電力の70％を原子力で賄《まかな》っているフランスは、次世代型原発6基を2050年までに建設する計画を明らかにしている。イギリスも最大8基建設し、2050年には電力の25％を原子力で賄うとするエネルギー計画を発表した。ベルギーも新規建設こそしないが、既存の2基の運転期間を10年延長させるとした。

繰り返しになるが、原発は運転中、二酸化炭素を出さない脱炭素電源であり、1基あたりの発電量も大きく一定の供給力が確保しやすい。また既存の原発であれば設備の減価償却が進んでいるため、発電単価も下がる。その結果、電気料金値上げの原因となっている火力発電の燃料費を抑制できるというメリットがある。

しかし、よいことばかりではない。なんといっても原発はいったん重大な事故を起こせば、ほかの工場や設備で起こる事故とは比べものにならないほどの深刻な影響があることを忘れてはならない。福島で私たちはそれを経験している。

福島では事故から12年経ってもまだ約2万7000人（2023年2月現在）が避難を続けている。廃炉作業も道半ばで、技術的な課題も多く、40年で終えられるかは不透明だ。また、放射性廃棄物の地層処分など原発の後始末の問題など政策的な課題は積み残されたまま、今回の政策大転換に至っている。

原発をめぐる課題について正確に把握しておかなければ、正しいエネルギー選択の判断を下すことはできない。そして実際に原発回帰に舵を切るというのならば、その課題を解決しておかなければならない。何度も書くように、いったん重大事故を起こすと計り知れない影響が出るのが原発だ。本書では、記者・解説委員が現場に足を運び、様々な人たちに話を聞き、そして目にしてきた事実をできるだけわかりやすく記していきたい。

第1章 原発回帰、5つの課題

次世代革新炉とは

原発回帰の課題を、順を追って見ていくことにしよう。まずは先に説明した二つの柱の一つ、「原発の新規建設」について。

じつは、新しい原発をつくることは簡単なことではない。政府は、新規に建設を目指す「次世代革新炉」として、①革新軽水炉、②小型軽水炉（ＳＭＲ）、③高速炉、④高温ガス炉、⑤核融合炉の５種類を想定しているが、開発候補の炉がどういうものか、少し詳しく見ていくと、その意味がわかってもらえると思う。

① 革新軽水炉

軽水炉は核燃料の熱で普通の水を沸騰させ、発生する蒸気でタービンを回して発電する。現在日本で商業運転されているすべての炉がこれに当てはまる。革新軽水炉はこの軽水炉の安全性をより高めたタイプで、航空機が衝突しても放射性物質を漏洩《ろうえい》させない頑丈な構造を備え、緊急時に電源がなくても冷却が行える設備などを標準装備している。軽水炉の改良型というのが実際のところで、福島の事故を起こした原発とは違うものだと強調するために、「革新」という言葉を使っていると思われる。すでに欧州の最新型原発には

脱炭素の方策を議論する「ＧＸ実行会議」（写真提供：共同通信社）

取り入れられているが、計画の遅延やコスト高に見舞われているところもある。

②小型軽水炉（ＳＭＲ）

同じ軽水炉で出力が一般の原発の3分の1程度の小型の炉が、小型軽水炉（ＳＭＲ）だ。ほとんどの設備を工場内でつくることができ、現場では組み上げるだけなので工事期間が短いとされるほか、小さいため全体をプールに沈めるなどして事故の拡大を防ぐことができ、安全性が高いとされている。すでにロシアで一部実用化されているほか、アメリカを中心に各国で開発計画がある。

現在、大型の軽水炉は中国製やロシア製が世界を席巻《せっけん》しており、原子力大国だったアメリカが危機感を持ち、新しい型で巻き返しを図ろうとしている面もある。ただ大型の軽水炉と同じ発電量を確保するには数多く建設する必要があり、コスト高になる可能性も指摘されている。また、安全性についてもさらに検証が求められている。

③ 高速炉

冷却材にナトリウムなどを使うことによって効率よく燃料を燃やすことができるとされる。日本ではJAEA（日本原子力研究開発機構）が研究開発を進め、福井県で高速増殖炉もんじゅを運転していたが、ナトリウム漏れ事故で長期間運転を中断。その後運転を再開するも、トラブルや点検漏れを繰り返すなどしてフルパワーで運転することなく2016年に廃炉が決まり、プロジェクトとしては失敗に終わった。しかし政府は、高速炉自体には可能性があるとして開発の旗を降ろしていない。

④ 高温ガス炉

一般の原発のように水ではなく、その名の通りガスで冷却する。高い熱を取り出すことができ、発電はもちろん、熱で水を分解することで脱炭素に有効な水素を取り出すことができるとされる。燃料も熱に強いセラミックスで覆っているため、福島の事故のような炉心溶融は起きにくく安全性は高いとされる。

日本は世界の中でも先行してＪＡＥＡが茨城県大洗町で１９９８年から実験炉の運転を行っている。私、水野は２０２２年秋に現地を取材した。実験炉なので小型かと思いきや、構造上黒鉛が使われていることもあって、かなり大きかった。一般の原発の水は３００度前後だが、担当者によると２０１０年にガス（ヘリウムガス）の温度を９５０℃まで高めて50日間運転できたという。

また燃料の模型を見るとウランがセラミックスで覆われており、１粒は仁丹《じんたん》の粒くらいで非常に小さい。２０００度の高温の試験でもほとんど破損せず、メルトダウンしにくいことが確認できたという。確かに安全性は高まっているが、まだ水素の製造設備がないため水素をつくったことはなく、取材したときは長期停止中だった。

ヘリウム循環器の異物を取り除くフィルターが目詰まりし、予備がなく発注にも時間がかかり再開の目処が立たないという。福島の事故を受けて新たに審査を受けて止まっていた期間も長く、なかなか運転実績を積み上げられないのが目下の課題だ。そうしているうちに中国が日本より先を行き、経済性を確認する実証炉で発電しているという。

⑤ 核融合炉

一般の原発のように原子核を分裂させてエネルギーを得るのと違って、太陽のように水素などの原子核どうしを融合させたときに出るエネルギーで発電する。「地上の太陽」とも呼ばれ、日米欧などで実験炉の開発を進めているが、実用化は数十年以上先とも言われる。

次世代革新炉には、以上のような5タイプがあるが、新型の原発の実用化には実験炉から始まって原型炉や実証炉と段階を踏んで開発を進めていく必要がある。これに数十年はかかることから、近い将来、現実的に新規建設の可能性があるのは革新軽水炉に限られる。実際、経産省が示したロードマップでも、最も早く2030年代半ば以降に商業運転を始められるとしているのが革新軽水炉だ。

こうした政府の動きに合わせる形で2022年9月、三菱重工業が大手電力4社（北電、関電、四電、九電）とともに革新軽水炉を共同開発すると発表。出力120万kWの大型炉で、事故で溶けた燃料の受け皿や、電源を喪失しても自動で炉心を冷却する設備を備える。基本設計は8割終わっているという。

莫大な予算は誰が負担するのか

しかし、新型炉の開発が順調に進んだとしても、その建設を受け入れてくれる自治体がなければ話は始まらない。

関係者の間で有力視されているのが、福井県の関西電力美浜原発だ。大阪万博が開かれた昭和45年（1970）に1号機が運転開始し、その電気が会場に送られて日本の高度成長を支える象徴とたたえられた。

関西電力美浜原子力発電所（福井県美浜町）

3基のすぐそばに小高い山がある。2010年に関西電力が老朽化した1号機に代わる原発をつくる可能性を探るため、ボーリング調査を行ったことがある。ただ、まもなく福島の事故が起き、建設計画は宙に浮いたままとなっている。

地元の美浜町では、地域の経済が衰退し、原発がなければ暮らしが成り立たないとの声もあることから、1号機の建て替えを期待する向きがあるのも事実だ。美浜町議会は2022年10月、原発の新規建設を含めた原子力政策の方針を示すことを求める意見書を採択している。

とはいえ、新規建設の実現は簡単ではないと思われる。革新軽水炉はすでに一部の国で建設されているが、特にヨーロッパでは、フィンランドで計画より13年遅れ、またフランスでは計画の遅れとコスト高が問題となっている。

そのうちフランス北西部で建設中なのが、フラマンビル原発3号機だ。福島の事故後に私、水野は現地を訪れ、担当者に建設状況を取材したことがある。2007年に着工された最新の欧州加圧水型軽水炉（EPR）で、フランス電力（EDF）の担当者によれば事故時に溶け落ちる核燃料の受け皿となるコアキャッチャーが設置されており、溶融燃料で格納容器が破損するのを防ぐほか、原子炉を納めた格納容器が二重になっていて航空機の衝突にも耐えられ、既存の原発より安全性が格段に上がっているとのことだった。敷地内の小高い丘から見下ろすと、周りのものと比べてかなり巨大な格納容器が印象的だった。

当初は2012年の完成予定だったが遅れており、取材当時、2018年末の完成を目指して3900人体制で工事を進めているとのことだった。だが、その後も遅延を繰り返しており、2023年に入っても完成していない。

遅延の理由として、たびたび工事方法が変更され、追加の工事が発生したことなどを挙げていた。福島の事故以降、フランスでも安全基準が強化され、容器や配管の溶接プロセスなどで新たな試行や修理を迫られたり、非常用発電機や冷却水を供給できるシステムがある危機管理所を原発から離れたところにつくる必要に迫られたりして、建設費は当初の33億ユーロから取材当時で105億ユーロにまで膨らんでいた。その後も遅延により、2022年時点では132億ユーロ、1兆9000億円となっている。

またフィンランドも、同じ欧州加圧水型のオルキルオト原発の建設が計画よりかなり遅れたが、福島の事故後に取材に行ったところ、理由はフランスと似たようなものだった。このように革新軽水炉は日本でも1兆円規模の投資が必要になる可能性が高いと見られている。ところがいま、大手電力会社は燃料価格の高騰などで苦しい経営が続いている。革新軽水炉を手がけられるほどの財務的な余力は乏《とぼ》しいと見られる。

加えて国内では事故後、原子力の技術、人材ともに低迷している。

国内での原発建設完了の最後の案件は、２００９年に運転を開始した北海道電力の泊《とまり》原発３号機で、すでに10年以上経っている。また途中まで建設が進んでいた青森県の大間《おおま》原発も工事は止まったままだ。経産省によると、こうした状況を受け、福島の事故後に大手企業の原子力事業からの撤退が相次いでいるという。

発電所の保守管理業務を行っていた川崎重工業や、燃料製造を行ってきた住友金属工業、古河電気工業などが撤退。また日本電機工業会によると、主なメーカー14社の原子力従事者は２０１１年度はあわせて１万３５８２人いたが、事故後は右肩下がりで、２０２０年度は１万１５３人と25％減っている。

政府の方針発表後、三菱重工業が原子力関連人材の採用を前年より増やす方針を明らかにするなどの動きも出てきてはいるが、経産省は原子力関連の多くの企業が中長期的な事業の予見性を持てないまま、将来を見据えた設備投資や人材投資に踏み切れない状況が低迷を招いていると分析する。

このように建設資金や技術面、人材面でそれぞれ課題があり、何らかの対策をしない限り、新たな原発の建設は順調にはいかないだろう。政府はこのうち資金面については、建設費や大手電力の収入安定化につながる支援策を検討するとしている。具体的には脱炭素に対応する発電所を建設する場合に複数年の収入を保証する制度の導入を検討している。

原発も、脱炭素電源に含まれている。ただ、大規模な設備投資は電気料金の値上げなどの形で最終的には国民負担につながる可能性がある。それがいくらになるかという見通しを示し、国民の理解を得ることがまずは必要だろう。

運転期間が原則40年になった理由

いずれにしても、新型の原発の設計にはしばらく時間がかかるだろうし、原子力規制委員会が安全審査をするにも、その炉型にあわせた規制基準をつくらなければならない。加えて地元の自治体や知事の了解も必要となってくるため、仮にすべてがうまくいったとしても商業運転は20年以上先の話になると思われる。

そこは政府もわかっていて、つなぎとして目をつけたのがすでにある原発の活用だ。しかし福島の事故後、原発の運転期間は原則40年に、詳細な点検を行って安全性が確認された場合に限り、さらに20年、最長でも60年に制限された。また老朽原発を動かそうとすると点検にコストがかかることから、経済的な理由もあって廃炉を選択する原発が増え、事故前国内にあった54基の原発は現在、33基まで減っている。運転期間制限制度により、この数字はさらに減る見通しで、現在建設中の島根3号機、大間、東電東通《ひがしどおり》の3基を含めても、政府が脱炭素を目指す2050年段階で23基に、2060年には8基まで減少する。

これでは電力の安定供給や脱炭素達成もままならないとして、既存原発をできるだけ長く使おう、というのが政策大転換の二本目の柱である「運転期間の実質的な延長」だ。しかし、そもそもなぜ事故後に原発の運転期間が制限されることになったのかを思い出したい。

福島第一原発の事故を受けて原子力の安全規制に対する信頼は完全に失われた。ただ、原発を即ゼロにすれば電力不足になるため、独立した機関として原子力規制委員会を発足させて審査を行い再稼働させることにしたが、国会では再稼働にあたっては相当厳しい条件をつけるべきという認識で与野党が一致していた。

そこで出てきたのが古い原発に対する制限だ。そうした原発は例えば格納容器が小さいなど設計が古いのに加えて、核燃料から出るエネルギーの高い放射線、中性子線に原子炉が長期間さらされ続け、ステンレス製の容器が劣化する「中性子照射脆化《ぜいか》」と呼ばれる現象が懸念される。そこで相対的にリスクが高い古い原発を減らして原発への依存度を下げていこうと、運転期間を原則40年にしようとなったのである。

なぜ40年かというと、原発の中には40年間使うことを想定して設計されたものがあるからで、実際、福島第一原発3号機の許可申請書の耐用年数の項目には、「当社（東電）は発電所の耐用年数を30年として指示したが、メーカーは原子炉圧力容器および内部構造物、（原子炉を止める制御棒を動かす）制御棒駆動機構、（出力を調整する）再循環ポンプの主要機器の設計耐用年数を40年としている」（括弧内は引用者）と、原発の心臓部について40年の使用を想定していることが書かれている。

もちろん実際には余裕をもってつくられることから40年経てば即使えなくなるというわけではなく、申請書には耐用年数が過ぎた場合について「発電所が安全に運転できる状態にあり、かつ運転することが経済的であるならば、引き続き発電所を運転する。そうでない場合は発電所の運転をやめ放射能の減衰を待って適切な措置を講ずる」と記載されている。

こうした経緯から原則40年と定められたが、将来的に技術の進展や社会情勢が変わることも考慮し、40年時点で老朽化の詳しい点検をして安全性が確認された場合に限ってさらに最大20年延長できるという例外的なルールもつくられた。この運転期間制限制度は当時与党の民主党に加えて、野党だった自民党も賛成して議員立法で決まった。

60年超の延長で安全は確保できるか

運転期間制限制度により、古くて出力の小さい原発を中心に、巨額のコストをかけて安全対策をしても採算が合わないとして廃炉の決定が相次いだ。原発依存度の低減に一定の効果があったことは確かだ。

しかし政府は、今回、原子力規制委員会の審査のために止まっていた期間や運転差し止めの裁判の決定で運転できなかった期間などを除外し、その分60年を超えて運転できるようになる、新たな制度の制定を目指している。

この運転延長で国民が一番知りたいのは、60年を超える運転で安全が確保できるのかという点だろう。つまり、実効性のある規制ができるかどうかが焦点となる。しかし延長の話だけが先に決まり、安全規制の詳細部分は今後の検討に委《ゆだ》ねられている。これが一番大きな問題だ。

政府の方針を受けて、規制委員会は２０２３年2月、所管する原子炉等規制法からこの40年運転期間制限制度を削除し、60年超の運転を可能とする新たな制度案を決めた。具体的には30年目以降10年以内ごとに、電力会社による原子炉の劣化の評価や施設の劣化管理のために必要な対応を盛り込んだ管理計画を提出させ、規制委員会が審査し、認可が得られなければ稼働できないようにする。現状よりも厳しいものになると規制委員会は言うが、現状はまだそうはなっていない。

というのも、いま決まっているのは10年以内ごとに劣化状況を評価する制度の大枠だけで、最も安全が懸念される60年目以降については、どのようにして安全を確認していくかという具体策が決まっていないからだ。また、設計の古さにどう対応するかも考慮することにしているが、これもあとで決められることになっている。

そして、この決定の過程で疑問符がついたのが規制委員会の独立性だ。規制委員会で実質60年を超える新たな運転制度案を決める際、一人の委員が反対し全会一致とはならず、異例の多数決で決めた。ここで多数決が悪いということを言うつもりはない。議論を尽くしたうえでの多数決なら問題ないが、そうなっていない点が問題だ。

反対した委員は「今回新しい知見があるわけではなく安全側への改変とは言えない」と述べ、賛成した委員からも、「外から定められた締め切りがあり、せかされて議論をした」と不満の声が上がった。

せかされたとはどういうことか。政府は2023年の通常国会で60年超の運転を認める法案を審議したい意向をあらかじめ規制委員会側に伝え、規制委員会もそれにあわせる形で議論してきた。その議論に入る前に規制委員会と経産省の事務方どうしで調整していたことも判明している。そして２０２３年2月、法案提出の締め切りが迫り、やむを得ず多数決で決めることになったと見られる。普段の原発の安全審査で、電力会社の説明に納得しなければ時間をかけて徹底的に議論しているのに比べると拙速な感は否めない。その結果、60年目以降、具体的にどう安全規制するのかも先送りとなっている。

私、水野は規制委員会の議論を聴いていたが、事務局案に沿って新しい制度を決めようとする委員長や、ほかの委員の言い分と、反対した委員の意見が嚙《か》みあわないままだった。反対した委員が反対意見を述べたのに対して、ほかの委員が「でもこうだから問題ない」というようなことを言う。ではそれに対して反対した委員はどうなのかを聞きたいところだが、時間もなくなり議論が終わってしまった。聴いている側としても不完全燃焼で、この制度に本当に問題がないのかどうか、もっと議論をし、突き詰めてほしかった。

原発の最大限活用というのであれば、安全規制もますます重要になってくるはずだ。原子力規制委員会は、福島の事故の前、推進機関と規制機関が同じ経済産業省の中にあってなれ合い状態にあったことを教訓に独立した組織として発足したわけで、外部が規制委員会の検討について期限を切るべきではないし、規制委員会も時間をかけて議論したければ法案提出を待ってほしいと政府に要求すべきだった。事故から12年経ったいま、規制委員会も政府も、福島の教訓を忘れず、原点に立ち返るとともに、運転延長で本当に安全が保たれるのかを国民にしっかり説明していかなければならない。

このように政策転換の二本柱にはそれぞれに課題があるのに加えて、事故以降積み残されている課題も先送りされたまま、原発回帰の方針が決められている点が大きな問題だ。次からは、その積み残された課題に目を向けてみたい。

行き詰まる核燃料サイクル

原子力政策を考えるとき、避けては通れない根本的な課題がある。それは、日本が掲げてきた核燃料サイクルという基本政策だ。原発の導入が決められた昭和30年代にその骨格はすでに示されていた。これがすべての原子力推進政策の根幹になっている。この政策の是非をしっかり押さえておかなければならない。

原発を使い続ければ必ず増えていくのが使用済み核燃料。使用済みとはいっても運転中に新たにできた放射性物質により大量の熱が出ており、冷やし続けなければならない。福島の事故では原子炉だけでなくプールに保管される大量の使用済み核燃料の冷却もできな

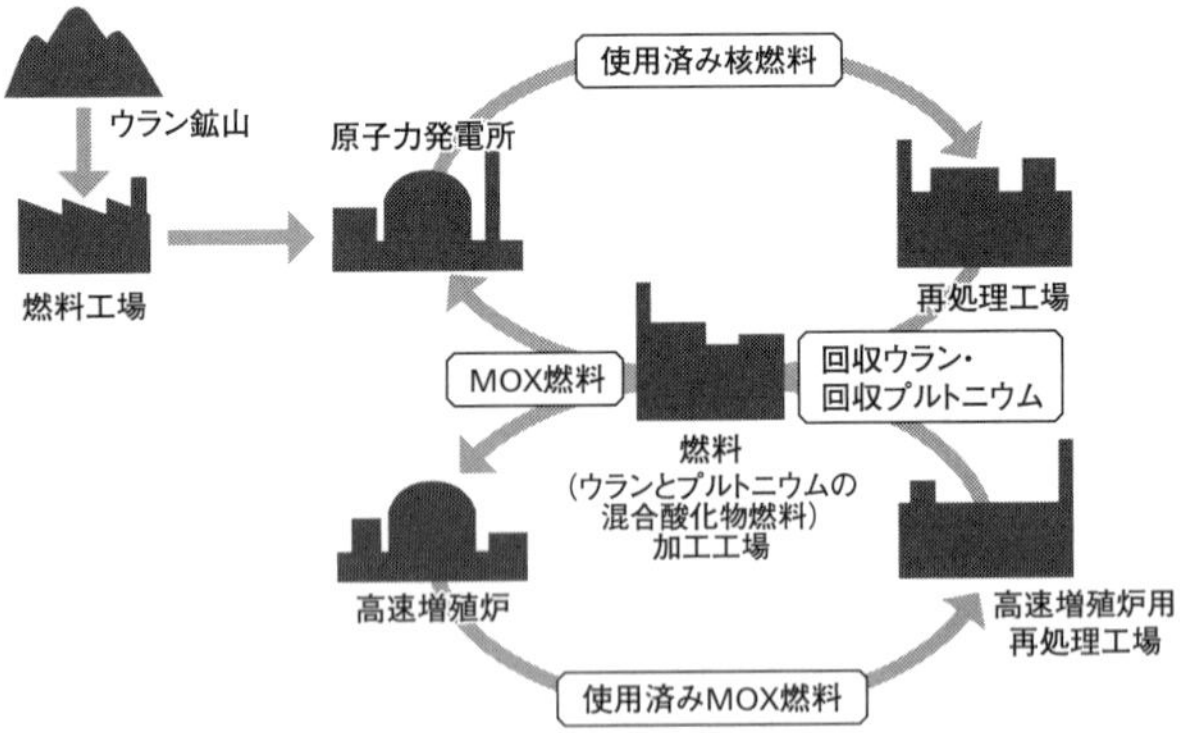

核燃料サイクル

くなり、当時は最悪のシナリオとして、一時、首都圏の住民も避難させる検討が行われ、その危険性が突きつけられた。

原発に大量の使用済み核燃料が溜まる理由は、使用済み燃料からプルトニウムを取り出して使う核燃料サイクルの行き詰まりだ。この後始末の課題が先送りされたままとなっていることから、「トイレなきマンション」と揶揄《やゆ》され続けている。

核燃料サイクルの中核を担っているのは、青森県の再処理工場だ。再処理工場は原発の使用済みの核燃料から再び燃料にできるプルトニウムを取り出すための施設。大手電力会社が出資する日本原燃（原燃）が１９９３年に青森県六ヶ所村で着工したが、２００１年に使用済み核燃料の貯蔵プールの施工不良で水漏れが発生するなどトラブルが相次ぎ、完成が延期される中で福島の事故が発生した。

再処理工場の規制基準も強化され、改めて原子力規制委員会の審査を受けることになったが、今度は非常用の電源がある建屋に雨水が流入するなど安全管理の問題も相次いで一時審査が止まる事態に。その後、安全対策の基本設計について2020年にようやく合格した。合格直後、原燃は2022年に本格稼働を目指す方針を示していたが、2022年末、「完成を2024年度上期のできるだけ早期に延期する」と発表した。

これはじつに26回目の完成延期となる。安全対策の工事認可を得るための規制委員会の審査に手間取っているからで、何度も説明資料の不備や検討不足を指摘されている。直近では2022年10月に私、水野が現地を取材したが、原燃は審査の担当者間の連携が不十分だったとして、審査に関わる400人を体育館に集め、審査資料づくりを行っていた。ただ、全員が一堂に会したことで作業効率が上がったかどうかはわからないという。

経済的メリットも薄れつつある

いずれにしても、再処理工場の完成がこれだけ遅れたことで、様々な課題や矛盾が出てきている。まずは核不拡散の問題だ。日本は原発導入を決めた昭和30年代当初から、使用済み核燃料をすべて再処理してプルトニウムを繰り返し利用する核燃料サイクル政策を基本としてきた。

資源に乏しく、プルトニウムを専用に燃やす高速増殖炉を開発すれば消費した以上のプルトニウムを生み出すこともでき、エネルギー問題が解決するがごとく喧伝《けんでん》された。ただプルトニウムは核兵器の原料にもなることから、日本は兵器転用の意図がないことを示すべく、「利用目的のないプルトニウムを持たない」とする方針を掲げ、余らせない姿勢を内外にアピールしてきた。これは国際的な公約でもある。

しかし、日本のプルトニウムは溜まり続けていった。2021年末時点で国内に9・3t、再処理を委託したイギリス・フランスにあるおよそ36・5tとあわせると、45・8tを保有している。これはあくまで単純計算だが、原子爆弾をつくるとすると5700発分に相当する。加えて青森県の再処理工場が全面稼働すれば、年間6・6tのプルトニウムが取り出されることになる。

こうした状況に懸念を抱く国もある。特に原子力協定で日本にプルトニウム利用を認めたアメリカが強く削減策を求めてきた。韓国や中東諸国などもアメリカに再処理の許可を求めていると見られ、兵器転用やテロ防止のためプルトニウム利用をひろげたくないアメリカとしては、日本の溜め込みが核拡散を招きかねないと考えたのである。

削減要求を受けて国の原子力委員会は2018年に、電力会社が連携してプルトニウムの利用計画をつくり、「保有量を減少させる」という新たな方針をまとめ、国際社会に理解を求めた。この方針を受け、再処理工場は稼働したとしても、原則その年に削減できた分のプルトニウムしか抽出することができなくなった。

そうすると、再処理工場の稼働率を上げるにはプルトニウムを消費するしかないが、プルトニウム利用の本命だった高速炉は、もんじゅがトラブル続きで廃炉が決定。代わって一般の原発で消費するプルサーマル発電が柱となったが、福島の事故を受けて原発再稼働が思惑通り進まず、プルサーマル発電も2022年3月時点で4基にとどまるなどプルトニウムを消費して減らす手段は限られている。当初の予定と異なり、再処理工場の稼働は当面は部分的なものにとどまる可能性が高い。

また、経済的に見ても核燃料サイクルのメリットは薄れてきている。完成の遅れで、当初7600億円とされた再処理工場の建設費は3倍の2兆1930億円となったうえに、福島の事故後にできた新基準に対応するための安全対策工事費が9800億円かかり、あわせて3兆1730億円まで膨れあがる。さらに40年間と想定している再処理の運用費や、その後の設備の廃止費用を含めた総事業費は14兆4000億円と見積もられている。事業費は大手電力の拠出金で維持されるが、最終的には電気料金に上乗せされて賄われることになる。

このように再処理には課題が多いにもかかわらず、これまで政府は核燃料サイクルの抜本的見直しに踏み込もうとはしてこなかった。ウラン資源を有効利用でき、原発の高レベルの放射性廃棄物の量も減らせることから引き続き意義があると強調し、もんじゅの廃炉で頓挫《とんざ》したかに見えた高速炉も、今回の次世代革新炉の一つに挙げられており、今後も開発を進める方針だ。

核燃料サイクルから見えてくる政府の思惑

これだけ政府が核燃料サイクルにこだわる背景には、一般の原発の再稼働への影響を避けたいという思惑もある。政府はエネルギー基本計画で、2030年に原発で全電源の20~22%を賄う目標を示している。現在再稼働は10基にとどまるが目標達成のためには少なくとも27基の再稼働が必要だ。

しかし、原発を稼働すれば使用済み核燃料が出る。原発によっては保管プールが満杯に近いところもあり、すぐにでも再処理工場に運び出したい。だが青森県は、使用済み核燃料が再処理工場に留め置かれ、なし崩しに核のごみ捨て場になることを警戒。核燃料サイクルを止めるのであれば、これまで受け入れてきた使用済み核燃料を各原発に送り返すという覚え書きを事業者の日本原燃と締結している。

そこには「再処理事業の確実な実施が著《いちじる》しく困難となった場合には、青森県、六ヶ所村及び日本原燃が協議のうえ、日本原燃は、使用済燃料の施設外への搬出を含め、速やかに必要かつ適切な措置を講ずるものとする」と書かれている。

そうなれば各地にある原発の保管プールは使用済み核燃料であふれ、燃料交換ができなくなり、稼働できなくなる。つまり、置き場がない使用済み核燃料対策として再処理工場を稼働させ、核燃料サイクルを続ける意思だけは示しておかなければならないのだ。

福島の事故のあと、当時の民主党政権も核燃料サイクルの見直しに踏み込もうとしたが、再処理工場の地元、青森県の反発もあり断念している。このとき、当時の青森県の三村申吾《しんご》知事はこう発言した。

「約束と違うことが起こってはいけないという地元の声がございます。（使用済み核燃料が）資源として再利用されない場合には、それぞれの発生元にお返しするということがあるということも一応言っておきますが、認識いただければと思っております」

結局、青森県との約束を尊重するなどとして、核燃料サイクル政策は維持された。こうした動きについて、地元に金銭的な支援をすることで解決を図ってはどうか、という意見もある。しかし、こうした見方は地元の事情がわかっていないと言わざるを得ない。

2022年9月に日本原燃が新たな時期を示さず26回目となる完成延期を青森県に報告したとき、三村知事は「誠に遺憾《いかん》で、驚愕している」と強い口調で非難した。住民の中には根強い反対もあるが、青森県としてはあくまで再処理工場の完成、そして操業を強く求めているのだ。

その背景には、青森県が国に裏切られてきた過去がある。1969年に国の新全国総合開発計画で六ヶ所村を中心とした地域に石油化学コンビナートなどを整備する「むつ小川原《おがわら》開発」が進められ、六ヶ所村では多くの住民が住み慣れた土地からの移転などを余儀なくされた。しかし、その後オイルショックなどもあり、計画は頓挫。実現したのは国家石油備蓄基地にとどまり、広大な開発地が残された。

代わって浮上したのが、再処理工場を中心とした核燃料サイクル施設だった。1985年に青森県は施設受け入れを受諾。これまでにウラン濃縮工場や、低レベル放射性廃棄物

青森県六ヶ所村の再処理工場。いまだ完成していない

埋設センターが操業しているが、本命はあくまで再処理工場だ。「まさか撤退することはないだろうな」「今度は裏切ることはないだろうな」という思いがあるのだ。金銭的な支援をすれば解決するという簡単な話ではない。

もっとも、現状のままではプルトニウムの大幅削減は進まず、核燃料サイクルが破綻《はたん》することは目に見えている。政府は今回の政策転換にあたって、この核燃料サイクルの見直し作業を行うべきだった。しかし、専門家会合では時間の多くが次世代革新炉の建設や、運転期間の延長などの議論に費やされ、政策の本質論には残念ながら届かなかった。

進まない最終処分場の確保

もう一つ、原発を推進するうえで大前提となるのが、いわゆる「核のごみ」の地層処分、つまり、最終処分場の確保だ。ヨーロッパでは目処をつけつつある国が出る中、日本はまったく見通しが立っていない。にもかかわらず、この問題も今回の政策転換の議論で取り上げられることは少なかった。

核のごみとは、原発の使用済み核燃料に含まれる放射能レベルが極めて高い廃棄物だ。近寄れば短時間で死に至るほどの強い放射線が出ており、日本では廃液に処理してガラスで固めて処分する計画だ。使用済み核燃料のままの状態で直接、地層処分する国もあるが、いずれの方式も安全なレベルに落ち着くまで10万年は隔離する必要があるとされている。

以前は宇宙に持っていって処分する方法や、深い海の底に処分することなども検討された。しかし、宇宙に持っていくにはロケットの打ち上げ失敗が懸念されるし、海への処分は生態系への影響や環境汚染などが懸念され、国際法で禁止されている。このため、現状各国とも地下深くに埋めて隔離する方針だ。

これに早くから取り組んだヨーロッパでは、処分場の建設を始めている国もある。しかし日本は、政府も大手電力も原発を動かすことには熱心だったが、後始末については対応が遅れた。政府は原発運転開始から35年経った2000年に、ようやく処分事業者としてNUMO（原子力発電環境整備機構）を設置。地下300mに総延長200㎞の坑道を掘って処分する計画をまとめた。地下深くに東京の地下鉄の総延長とほぼ同じ長さの坑道がひろがっているイメージだ。

そして、論文などから地盤を調べる文献調査、次にボーリングを行う概要調査、さらに坑道を掘って調べる精密調査と3段階、20年という時間をかけて候補地を調査することを決め、自治体を募集した。しかし、地震国日本では地下処分の安全性への不安は根強い。

必要となる隔離年数は10万年。いまから10万年前と言えば、現生人類のホモ・サピエンスが世界に拡散していった時代だ。それから現代に至るまで、多くの大地震や地殻変動、火山活動などがあった。そうした災害によって処分場が破壊され、放射能が地上に出てくることはないのか。このように超長期にわたる厄介《やっかい》な問題を含んでいたため、調査はなかなか進まず先送りとなってきた。

調査に応募した自治体の事情

そこに、福島の事故が起きた。保管プールにあった大量の使用済み核燃料も、冷却が止まり、メルトダウンが懸念された。つまり、事故によってプールに長期保管することの危険性が再認識され、なるべく早く処理して安全に隔離しなければならないと、政府もようやく重い腰を上げたのである。

科学的に地層処分ができる可能性のある場所を地図で示して自治体の応募を促すなどした結果、2020年に北海道の寿都町《すっつちょう》と神恵内村《かもえないむら》が調査に応じた。ただ、これらの自治体も積極的に処分場を受け入れたいということではなく、産業の衰退、そして過疎化という、やむにやまれぬ事情があった。

このうち寿都町は漁業と水産加工業が主力産業だが、調査受け入れを決めた時点で漁獲高は10年前の5分の1に、また人口も20年で30%減って2900人になっていた。このため町は風力発電に力を入れ、11基の風車で年間2億4000万円の収入を得て財政の柱としてきた。しかし、電力の固定買い取り価格は定期的な国の見直しによって下がることになっており、町は大幅な財源不足に陥ると試算。そこで町長が目をつけたのが核のごみの処分場調査だった。

文献調査に応じるだけで20億円の交付金が出るのだ。もっとも、交付金だけが目的ではないと町長は述べている。「核のごみはいずれどこかが引き受けなければならない問題で、自分たちが手をあげることで一石を投じたい」というわけだ。また神恵内村も状況は同じで、人口がこの30年で１６００人から８００人にまで減少している。村の存続への危機感から応募検討に至った。

しかし、こうした自治体の意向に理解を示す住民がいる一方で、反対の住民もいて、特に寿都町ではなかなか自由にものが言えない雰囲気になっているという。ほかに北海道の漁業組合連合会も風評被害がひろがるとして断固反対を表明。北海道の鈴木直道知事も、北海道には「核のごみの持ち込みは受け入れがたい」と宣言する条例があるとして、処分場の受け入れには反対の姿勢を明確にしている。

政府は、地元の知事が反対すればその先の調査に進むことはないとしており、二つの自治体で調査が進む見通しは立っていない。このように北海道では核のごみが社会問題化しているが、私たちも無関心でいるわけにはいかないはずだ。

というのも、核のごみを含む使用済み核燃料は全国の原発で発生し続けており、いずれはどこかで処分する必要がある。では、どこでどう処分すればいいいか。原発の電力の恩恵にあずかってきた都市部を含め、多くの国民が考えていかなければならない。

なぜフィンランドは処分場を決められたのか

ここまで日本の状況を見てきたが、最終処分場に目処をつけた国はどのようにしてきたのだろうか。福島の事故後にフィンランド、スウェーデン、フランスなどを私、水野が取材した。まずは世界で初めて最終処分場の建設を進めているフィンランドのケースを紹介したい。

フィンランドの最終処分場は、首都ヘルシンキから北西に250㎞のオルキルオト島にある。施設名は「オンカロ」。オンカロは、フィンランド語で「洞窟」を意味する。電力会社の子会社が建設中の地下施設を取材した。

地下に通じるトンネルを車で下っていくと4㎞ほどで地下420mの地点に到着。そこには深さ7mほどに試し掘りされた処分用の竪穴《たてあな》があった。フィンランドは使用済み核燃料を再処理せずに直接処分する方針で、使用済み核燃料の熱が岩盤に与える影響などが調べられていた。

よく見ると、一部の竪穴の底には水が溜まっていた。壁の亀裂から地下水がしみ込んできているということで、放射性物質が水で移動して地上に出てくることがないよう、こういう場所には処分しないという説明だったが、確かに全体的には水が流れ出しているようなところはなく、周囲の岩肌も乾いていた。

坑道は最終的に総延長40㎞までひろげられ、100年かけて9000tの使用済み核燃料を受け入れたあと、封鎖される計画だ。なぜこの場所なのかを担当者に聞くと、オンカ

オンカロの地上の入り口

オンカロの核のごみを埋めるデモサイト

ロは20億年前にできた厚さ60㎞の岩盤の中にあり、これまで大きな地震はなく、ほとんど地殻変動がないからだという。6万年後には氷河期を迎え氷で覆われると予想されているものの、放射性物質が地上に出てくることはないとのことだった。

エネルギーの70％を輸入に頼るフィンランドは、自給率を上げるため、1980年代までに4基の原発を導入し、電力の25％を賄っている。オンカロの近くにも稼働中の原発があるが、フィンランドがここに最終処分場をつくることができたのは、地元の町エウラヨキが受け入れを決めたからだ。

2000年、人口6000人の農業中心のこの町の議会は20対7の賛成多数でオンカロの受け入れを決定した。受け入れの理由について、取材した関係者は強固な岩盤や規制機関への信頼を挙げていた。町長もまた、核のごみはどこかが引き受けなければならず、日本のような交付金はないものの、原発の固定資産税率が高く、町の税収の4分の1が原子力関連により得られ、雇用も確保されるなどの恩恵を受けていることから、受け入れを考えたということだった。

町長は放射性物質を閉じ込める強固な岩盤と、信頼できる規制機関の安全確認がなければ受け入れなかったとも話していた。また、受け入れ当時の議会の副議長も、規制機関への信頼と、最終的には政府・国会が責任を持つ制度ができていたことを理由として挙げた。

フィンランド政府は、原発の運転を続けるには核のごみの最終処分に目処をつけることが不可欠として、初の原発稼働から6年後には、地下の最終処分場の選定計画を決めている。法律で自治体に拒否権を認め、最終的には政府が決定し国会の承認を得ることなどを明記したのである。そして100を超える候補地から電力会社が徐々に適地を絞り込んでいき、最終的に4地域の中から地盤の安定したエウラヨキを選び、申し入れた。

元副議長によると、原発にトラブルがないこともあって住民の信頼が厚い規制機関が、安全だとの報告書を出したことを受け、当初は反対が多かった町全体が、徐々に賛成に傾いていったという。

規制機関である放射線・原子力安全センター（STUK）は完全に独立した組織で、職員の多くが大学の修士課程を出ている。そして最後まで規制に携《たずさ》わるなど専門性が高いことから、国民から信頼されているという。

最終的には、国会で脱原発の政党も賛成して、オンカロが最終処分場として承認された。強固な岩盤に恵まれたフィンランドは原発導入当初から政府が前面に立って「ごみ問題」と向き合い、信頼される規制体制を築き上げ、最終処分場の建設にこぎつけたのだ。

電力会社への信頼

フィンランドに続いて処分場の見通しが立っているのが、同じく北欧のスウェーデン。2022年1月、スウェーデン政府は首都ストックホルムの北120㎞のエストハンマル市郊外の最終処分場計画を承認した。2023年頃から建設工事が始まり2030年ごろには処分が始まると見られる。

処分を行うのは、電力会社が共同でつくった子会社だ。この会社は処分地と岩盤がほぼ同じ別の場所に地下研究所を持っており、技術開発を進めていた。地下に通じるトンネルを車で下っていくと、5分ほどで地下420mの地点に到着。この地下施設も最終処分予定地も、フィンランドと同じく20億年前にできた花崗岩《かこうがん》の岩盤の中にあり、これまでほとんど変化していないという説明だった。

スウェーデンでは、使用済み核燃料を地下の環境で腐食しにくい銅の容器に入れ、周りを粘土で覆ってから、深さ8mほどの竪穴に埋めていく。地上からこの竪穴まで廃棄物を遠隔操作で運ぶ車両も開発中で、走行試験を行って処分場の操業に備えているということだった。

国民投票でいったんは2010年までの脱原発を決めたスウェーデンだが、温暖化対策との兼ね合いもあり、その後、脱原発の期限を撤廃。原発10基で電力の40％を担っており、処分予定地の近くでも3基が稼働していた。

スウェーデン政府は原発利用開始当初から核のごみ処分は不可欠だとして、法律で電力会社に調査を義務づけた。しかし、処分可能な地域が示され、自治体を公募したものの、地元への説明が不十分だったこともあり、各地で反対運動が起きた。そこで電力会社は原発の立地自治体に調査を申し入れる方式に変更。8地域の地質を調べ、そのうち2ヶ所で精密調査を行い、最終的に岩盤が最も安定したエストハンマルを選んだ。

人口2万1000あまりのエストハンマル市は、かつては造船が盛んだったが、いまや最大の産業は原発となっており、議会が2001年に処分場の調査受け入れを決めた。副市長は取材に対し、電力会社や事業者との信頼関係が決め手になったと強調した。もともと原発があり住民に知識があったことに加え、交付金はないものの、原発で住民2000人が働いているなどの恩恵を受けており、処分場でさらに雇用が生まれるメリットもあるため、調査を引き受けたということだった。

もちろん、最も重要なのは安全性だ。事業者が多くの住民を地下研究施設に招き、岩盤や技術開発の説明をする中で徐々に信頼関係が生まれ、世論調査でも7割が賛成。これが受け入れの決定打となったという。

決め手となった電力会社への信頼とはどういうものか。近くの原発を取材すると、重大事故の際に放射性物質の放出を大幅に減らせるフィルターつきベントが設置されていた。日本では福島の事故後にようやく設置が義務づけられた設備だが、スウェーデンでは1979年のアメリカ・スリーマイル島の原発事故を教訓にすべての原発に取り入れられたという。こうした素早い対応に加え、その後、大きなトラブルもないことが、信頼につながっているのだろう。

また最終処分を行う子会社も、使用済み核燃料の輸送や貯蔵などを一手に引き受けており、地質や材料の専門家など500人の社員のほとんどが専従だという。スウェーデンもフィンランドと同様、早くから核のごみ問題と向き合い、住民との信頼関係を築いてきたことが、最終処分場の決定へと結びついたのである。

処分地決定までの30年の道のり

そして、最終決定はしていないものの、最終処分場の目処をつけているのがフランスだ。

日本と同じく天然資源に乏しいフランスは、1970年代のオイルショックを契機に原発への依存度を高め、電力の70％以上を賄っている原子力大国だ。福島の事故を受けて依存度を下げる方針を決めたが、前述の通り、ウクライナ危機と脱炭素への対応のため再び原発の新規建設を行うことを決めている。

最終処分場が計画されているのは、ドイツとの国境近くのビュール村周辺だ。一面に畑がひろがる農村地帯の地下400ｍに研究施設があり、最終処分を行う国の機関ＡＮＤＲＡ（放射性廃棄物管理機関）が技術開発を進めていた。

施設は粘土層の中にあるという。粘土と聞いて、最初は学校の工作で使うような水を含んだ柔らかいものを想像していたが、まったく違った。乾いて石のように硬く、互いをぶつけるとカチカチと音がするのである。

核のごみの処分で最も問題になるのは地下水だ。地下水は金属の腐食を進めるほか、放射性物質が溶け出してしまうと、長い時間をかけて地上に運ばれ、環境に影響を及ぼすおそれもある。その点、この粘土層はほとんど水を通さず、地震もないため水の通り道となる亀裂もない。放射性物質を閉じ込め、安全性を確保することができるとＡＮＤＲＡの担当者は説明していた。

また、住民の理解を得るための技術開発も進んでいた。例えば、廃棄物を入れる容器の両隅についているセラミックス製の突起物。廃棄物は横穴に埋めていくが、技術的な問題が発生した場合や、より安全な処分方法が開発された場合に備え、あとで取り出せるよう、滑りをよくするためのものだという。ANDRAは、あと戻りできる技術があれば住民の安心感が高まるとして、2020年代からの処分開始を目指していると説明していたが、2023年1月建設許可申請している。

もっとも、フランスも最初から順調だったわけではない。1980年代、ANDRAが住民の了解なく地質調査を進めようとしたため大規模な反対運動が起こり、調査断念に追い込まれたことがある。そこでフランス政府は政策の全面見直しに乗り出し、透明性を高めた。まず処分地選定の手続きを法律で細かく定め、どのような研究をいつまでに行うかという工程を示し、地下の研究施設をつくること、さらに公聴会の開催などの手続きを明確にした。

また住民の信頼を得るため、実施機関の改革を行った。原発推進機関の一部だったANDRAを独立させ、地下研究施設を運営させ、技術力を高めていくことにした。こうした改革によって複数の自治体が関心を示した。

そこで日本の寿都町で行っているような調査を10地域で行い、その中から粘土層があるビュール村に地下研究施設がつくられ、補助金も配られた。これといった産業がなかった村に雇用の場ができ、ＡＮＤＲＡも住民の見学会を行うなどして信頼関係を築き、最終的にビュール村周辺に決まったということだ。

水を通さない粘土層に恵まれたフランスは、手続きを明確にし、実施機関の専門性を高めて住民の信頼確保に努め、30年かけてようやく処分地選定にたどり着いたのである。

振り出しに戻ったドイツ

ここまで最終処分場の選定がうまくいっている例を見てきたが、ヨーロッパの国がすべてうまくいっているわけではない。イギリスやドイツは強い反対運動の末、処分場選定のやり直しを余儀なくされている。このうちドイツでは唯一の処分場候補地として30年以上研究が続けられてきた場所を白紙に戻している。

処分場候補地となっていたのは、首都ベルリンから北西におよそ１５０㎞のゴアレーベンという人口１０００人に満たない農村だ。村の中心部から車で数分の所に地下の研究施設があった。エレベーターに乗ると一気に地下８４０ｍまで降りることができる。

ここの地盤はほかのヨーロッパの地域とは違って岩塩層だ。大昔海だったところが隆起して海水が陸上に取り残され、水分が蒸発して2億6000万年前に塩だけが残った場所だ。やや赤みがかった岩塩で、指で少し削って舐《な》めてみると確かにしょっぱかった。最初、塩と聞いたときにはステンレス容器などが錆《さ》びてしまうのではないかと思ったが、担当者によれば水分がなければ錆びることはなく、岩塩はゆっくり動く流動性もあって廃棄物全体を包み込んでいくことからドイツ政府は最適地と考え、ゴアレーベンを最終処分場にすべく検討を進めていたという。

しかし、同じく岩塩層の別の低レベルの放射性廃棄物の処分場で地下水が漏れ出し放射性物質が地表へ流出する危険性が懸念された。岩塩層は本当に安全なのかという疑問が地元で沸き上がった。反対運動はドイツ全土にひろがり、処分場の許可権限を持つ州が連邦政府に対して、ゴアレーベンの計画を白紙に戻すよう求めた。そして2013年3月、連邦政府は、ゴアレーベンを唯一の候補地とせず、ほかの場所も同時に探すことを決めた。

優先して取り組むべき課題

以上のようなヨーロッパの状況を取材して実感したのは、日本の場合、様々な条件が違うため、なかなか簡単には進まないだろうということだ。

特に地盤の違いは大きい。大陸のヨーロッパには20億年動いていない岩盤があるが、日本列島は1億年前には存在すらしていなかった。3000万年前にプレートの動きによって大陸から陸地が引きちぎられ、日本列島の原型が現在の位置に固まったのは1500万年前と考えられている。もちろん日本にも長期間大きく変化していない地層もあるが、ヨーロッパとは状況が大きく異なる。

そのため実施機関の技術力や信頼性がより重要になってくる。ヨーロッパでは実施機関自ら地下研究施設を持ち、職員自ら研究し、住民を招いてその様子を見てもらい、自ら安全性を説明していた。実施機関の顔が住民に見え、それが信頼関係を深めることにつながっていた。これに対して日本の実施機関NUMOは自前の地下研究施設を持っていない。

そもそも多くの国民がNUMOのことを知らない。ヨーロッパの実施機関の職員の多くは専従職員だが、日本のNUMOは電力会社からの出向者が多く、例えば我々メディアに対応する広報の職員は2~3年で出身元の電力会社に帰っていく。ついこの間まで様々な情報を提供してくれていたのが、担当者が代わるとパッタリ止まる、という経験もある。日本も本気で最終処分に取り組むのであれば、まずは実施機関の専門性を上げるために自前の地下研究施設を持ったうえで技術力を国民に示し、職員もほぼ専従にすることなどを検討すべきではないだろうか。

いずれにしても、最終処分の見通しが立っていないことが福島の事故以降、問題となっていた。にもかかわらず、今回の政策変更にあたっても核のごみの問題について時間をかけての検討は行われなかった。積み残したままの種々の課題について道筋をつけることに、まずは優先して取り組むべきだったのではないか。

次の大事故、避難は可能か

ここまで核燃料サイクル政策に関わる課題にスポットを当ててきたが、政策をめぐる重要な課題がまだ残っている。それは防災計画、特に大事故時の避難の問題だ。

原子力防災が強化されたきっかけは1999年9月、茨城県東海村の核燃料加工工場で起きた臨界事故だ。このとき日本では初めて住民の屋内退避が実施され、半径約300mの住民が避難した。これを契機に原子力災害対策特別措置法がつくられ、重大事故の場合は、政府（内閣総理大臣）が原子力緊急事態宣言を出し、責任をもって対応の前面に出ることが定められた。また、事故時の対応拠点になり、避難などを判断、誘導するオフサイトセンターが各地に整備されるなど防災体制は強化されたはずだった。

しかし、福島第一原発事故ではスムーズな避難ができたとは言い難い。原発回帰の中、次に大事故が起きた場合、本当に住民の安全は守られるのだろうか。

その課題が問われた判決がある。2021年3月18日、水戸地方裁判所の判決だ。茨城県や東京都などの住民ら200人あまりが起こした裁判で、巨大地震が起きた場合に日本原子力発電(日本原電)が茨城県に保有する東海第二原発が重大な事故を起こすおそれがあるとして、運転再開の差し止めを求めた裁判だ。

東海第二原発は東日本大震災以降停止していて、日本原電は再稼働を目指している。判決の日、水戸の裁判所で取材をしている記者から、山崎のもとに「住民勝訴」の連絡が入った。ほどなく住民側の弁護士が裁判所の前で「勝訴」「東海第二原発、再稼働認めず」と書かれた大きな紙を掲げる映像も入ってきた。8年あまり続いてきた裁判の結果に、裁判所前に集まった支援者からも大きな歓声が上がった。

この判決で私たちが注目したのは、その理由だ。裁判所が挙げた論点は避難計画の不備だったのだ。それまでの原発をめぐる裁判でも地震や津波の備えの不備を指摘するものはあった。だが、水戸地裁の前田英子裁判長は、地震や津波の想定や設備の耐震性については原子力規制委員会の審査の判断に「見過ごせない誤りや欠陥があるとまでは認められない」などとして住民側の主張を退けた。一方、避難の計画については「安全を確保する防護レベルが達成されているとはいえない」などとしたのだ。

東海第二原発は首都圏にある唯一の原発だ。30㎞圏には14の市町村があり、その人口は94万人を数える。果たしてこの人口を安全に逃がすことができるのか。司法はそこを問いかけた。判決は具体的な点にも言及。避難計画の策定が義務付けられる14市町村のうち、計画を策定済みなのは5市町にとどまっていることに触れ、前田裁判長は「人口15万人以上の日立市やひたちなか市や、27万人の水戸市は計画の策定に至っていない。策定した5自治体の避難計画も、複合災害などの課題を抱えている」と指摘した。

複合災害とは、まさに福島第一原発のような状況である。原発事故は地震や津波で引き起こされる可能性がある。つまり大きな揺れ、津波、そして原発からの放射性物質——、複合的な危機が住民を襲うリスクがあるのだ。複合災害は単独災害に比して極めて状況を悪くする。例えば、地震で建物に亀裂が入ったり、倒れたりすると屋内退避ができなくなる。道路が揺れで凸凹《でこぼこ》になり車が走れないと、汚染を検査したり放射性物質を洗い流したりするための拠点の準備をしようにも人員や機材が十分に集められない。

そうして「防災体制は極めて不十分」と結論づけたのである。これに対し被告の日本原電は、「丁寧にご説明をしてきましたが、主張を理解していただけず遺憾です。判決を取り消してもらえるように安全性の主張、立証に全力を尽くします」などとして、翌日には東京高等裁判所に控訴した。

この判決には法曹界から異論もあった。なぜなら、いまの制度では、避難計画の責任は電力会社ではなく、自治体、国にあるからだ。日本原電に対して避難計画の不備を要件にして運転再開を認めない判決が法律論的に可能なのか、という指摘だ。ただ、本書では法律論の是非には立ち入らない。実際に事故が起きたときに住民が避難できないという疑問を裁判所が持ったという点にこそ意味があると考える。

判決をめぐり当時の経済産業大臣、梶山弘志《かじやまひろし》氏は翌日19日の閣議後会見で「安全性については確認されたうえで、避難計画が論点だった。避難計画はまだ策定中なので、しっかりと政府が後押しする形でつくっていく。そうした中で住民の理解を得ていくことが重要だ」と述べた。その通りである。原発回帰に舵を切るなら、政府にはその責任が問われるのは当然だ。

ただ、100%の実効性がある避難計画の策定は、口で言うほど容易ではないことをもまた、政策に関わる方々には伝えておきたい。どういうことか。実際の現場を見るとわかる。

原発の地元と避難ルート

私、山崎は福島第一原発事故のあとに再稼働した、もしくはその見通しが立った原発の地元何ヶ所かを記者とともに取材した。

関西電力の高浜原子力発電所がある福井県高浜町もその一つだ。新しい基準に基づいた原子力規制委員会の審査も地元自治体と議会の了解も経て運転を再開した。もちろん避難計画も見直しが行われ、いくつかの対策も実施された。しかし現場に足を運び実際に車で走ってみると課題に気づく。

避難に使う主要ルートの一つは海側を走る国道だ。海からの距離が10ｍもない箇所が何ヶ所かある。地元の住民にマイクを向けると、津波警報が出る中、この海沿いの道路を走るのは少し怖いという心配の声が聞かれた。日本海側でも福島での事故後、文献調査などが大きく進んだ。想定される津波はより高く見直されている。ハザードマップ上、国道に津波は来ないが、地元の研究者の調査で新たに津波の痕跡が見つかるなどしている。日本海側でも想定をさらに見直す必要が出てくるかもしれない。

また放射性物質の影響を避けるため、南の方向に逃げる際は、山を越えて京都府側に避難することになる。ところが、この山中のルートのいくつかは土砂崩れのおそれが指摘されているエリアの中や、そのすぐそばを通っている。大きな揺れで斜面が崩れ、土砂が道路を覆うことは東日本大震災で経験したことだ。

別の課題もある。現在国が示している原子力防災の指針では、避難の順番が来るまで住民は屋内退避をして待つことになっている。この屋内退避が長期間続くと、食料や医薬品などの生活物資の入手に支障が出るおそれがある。なぜなら、みんなが外に出られないとなると、流通が止まってしまうからだ。これは福島の事故でも実際に起きた。事故の規模によっては屋内退避が長期化することは否定できない。この問題を重田八輝、伊藤怜記者が2021年に取材した。

福井県と京都府をつなぐ道路の1つ。急な斜面が多い

原発事故時の防災を担当して

いるのは内閣府だ。問い合わせると、屋内退避の定義は「一歩も外に出るな」ということではなく、「なるべく屋内にとどまるように」という返答だった。一時的なら外に出ることも可ということだ。

では、どういう状況なら一時的に外に出られるのか。例えば、屋内退避の指示中に、親は学校に子どもたちを迎えに行くことができるのか。こうした具体的な事例についてはは「ケースバイケースでもあり、事前に決めておくことは難しい。訓練などで臨機応変に判断できるようにしたい」との答えだった。しかし、このままの状況では、重大事故が起きたときに住民、そして地元自治体が対応に迷い、混乱することが予想される。このとき、アンケートをした九つの自治体のうち、五つで住民の一時外出について対応が未確定なままだった。

また、中部電力の浜岡原発の避難計画を藤ノ木優記者と検証した2015年の取材では、橋のリスクが見えてきた。静岡県には天竜川や大井川といった大河が流れている。専門家に交通渋滞のシミュレーションをしてもらうと、橋を渡るところ、つまり橋詰《はしづめ》に避難の車やバスが集中し、そこから大渋滞が起きるリスクがあることがわかった。

もちろん、こうした大きな河川の橋梁《きょうりょう》は耐震設計がされている。崩落はよほど想定を超える揺れが襲ったり、工事に不備があったりしなければ起きないであろう。しかし道路表面に数㎝の亀裂や段差ができるだけでも交通の流れは一気に滞《とどこお》り、より避難に時間がかかる。

山が多く、川が幾本も流れ、海辺に原発が立地する日本では、上記のようなリスク箇所は各自治体で見られる。平地が多い欧州各国やアメリカに比べて避難ルートを十分に確保することは容易ではない。そのため実効性がある計画にするには迂回《うかい》用の道路をつくったり、トンネルを掘ったり、斜面を固めたりと大規模な工事が不可欠になる。しかし、それには数年から数十年という時間と、かなりの費用がかかる。全員をスムーズに避難させる体制の構築は簡単ではないのだ。

若狭《わかさ》湾に突き出した福井県敦賀《つるが》市の敦賀半島には美浜原発、敦賀原発、高速炉もんじゅ（廃炉作業中）、新型転換炉ふげん（廃炉作業中）が立地している。いわゆる原発半島だ。ここでは有事の際に半島の先端の集落の住民も避難ができるようにと周回道路を含め、山を抜ける複数のトンネルが順次計画され、整備が進んだ。完了したのは2022年。完成後に現地を訪れてタクシーで半島をぐるりと走ってもらった。山崎が赴任していた2000年前後と比べると、半島のどこからでも複数のルートで避難が可能となっていた。これなら

福井・敦賀半島に整備された避難のためのトンネル

被ばくを抑えられるルートを選択できるだろう。

また当時、半島の先から市中心部まで当時1時間あまりだった所要時間が30分弱で着けるまでになっていた。避難の実効性は格段に上がっている。ただ、こうした整備が完了するまでに、敦賀半島で最初の原発が運転を開始した1970年から半世紀以上が経っている。その間にも高速炉もんじゅのナトリウム漏れや、敦賀原発2号機の大量水漏れなど事故が複数あった。時間がかかり過ぎていないだろうか。

原発に回帰するというのなら、住民が確実に避難できる体制の構築を、稼働の前に終えておくことが当然の手順だと考える。そして、その財源が電気料金や税金で賄われることも、私たちは認識しておくべきだ。

軍事攻撃やテロの標的になる可能性

2022年2月以降、新たに浮上した原子力防災の脅威についても触れておきたい。それは軍事侵攻や戦争が起きたとき、原発は確実に攻撃目標となるということだ。

ロシア軍は侵攻開始から数日の間に、ベラルーシとの国境近くにあるチョルノービリ原発(チェルノブイリ原発)を占拠した。その後、ヨーロッパ最大級の発電量を誇るザポリージャ原発も攻撃し、占拠した。

ザポリージャ原発では、ミサイルによると見られる爆発が起きるなど、設備への損害も報じられた。運転員など職員は半ば監禁状態で施設の運営を強要されているともいわれる。一歩間違えれば、原子炉の冷却機能に影響しかねない。最悪のケースでは、メルトダウンが起き得る。しかし、戦争状態では重大事故が起きても、満足な収束対応はとれないと思われる。IAEA(国際原子力機関)も戦争状態のエリアに簡単には出入りできない。

チョルノービリ原発事故のときは旧ソ連による人命を賭《と》した対応が行われ、大量の被ば

占拠されたザポリージャ原発の周辺をパトロールするロシア軍人。2022年5月1日撮影（写真提供：AFP＝時事）

くが原因で消防士や発電所のスタッフら約30人が死亡した。住民を含め、50人を超えるという報告もある。福島でもそうだったが、国が人も物資も全力をかけて対応しない限り、原発事故の収束は難しい。戦争状態でそれができるのか。収束できなければ、汚染はウクライナの国土だけでなく、ロシアも含めた欧州各国に及ぶことになる。

日本にとっても他人事《ひとごと》ではない。中国、北朝鮮、ロシア……。アジアでも安全保障環境は悪化している。原発はミサイルなどだけでなく、テロによる占拠や破壊工作のターゲットにもなる。原発が破壊されたらどうなるのか。福島第一原発の事故を思い出してほしい。例えば、もし大きな余震が起き、4号機の核燃料プールが壊れていたら。もし水素爆発を起こしてぼろぼろになった1号機や3号機の建屋が倒壊していたらどうなっていたか。

こうした最悪のシナリオを想定した米軍は、首都圏を含めて広範囲に汚染が拡大するリスクを考えていた。福島第一原発の故吉田昌郎《まさお》所長も窮地に陥った一時期、東日本への影響を覚悟したとのちに語っている。偶然も重なり、上記の出来事は起きなかったが、もう一段事態が悪化していたら、日本は国土の半分近くを失うおそれがあったと言っても過言ではない。災害ではなく人為的に攻撃され、こうした破壊が行われたら――。

想像をたくましくして、仮に、もしどこかの国と関係が悪化し、東日本と西日本の原発が一つずつ攻撃されたらどうなるか。国土のほとんどを使えなくなるということになりはしないか。海に囲まれた日本では、逃げるところもない。原発を持つということは、そうしたリスクを抱えることでもある。そのことを私たちは認識しておく必要がある。

浮かび上がった「ロシアリスク」

さらに、ロシアの軍事侵攻によって浮かび上がった、もう一つの懸念材料にも触れておきたい。それは〝ロシアリスク〟と呼ばれ、原子力関係者が心配しているものだ。すなわち、原発の燃料の供給の半分近くをロシアが握っているため、ロシアの意向次第で世界の一定数の原発が止まりかねないというのである。

原発の核燃料に使える核分裂性のウラン235は、天然ウランの中にわずか0・7%しか含まれていないため、工場で3〜5%に濃縮する必要がある。しかし、これには高度な技術が必要であり、核兵器開発につながる技術でもあることから、どの国でも行えることではない。日本エネルギー経済研究所によると、1970年代はアメリカが濃縮ウランの最大のシェアを誇る国だったが、オイルショックを契機に世界で原発利用が拡大し、ヨーロッパが市場に参入。また、アメリカはソ連崩壊により、解体核兵器から出る高濃縮ウランを希釈して原発で使うことにしたため、さらにシェアを落とした。

こうした中、徐々にロシアがシェアを伸ばし、いまや濃縮ウランの40%超を占めるようになっている。ロシアが濃縮ウランについても天然ガスのように輸出を抑制しないかと、原子力関係者は神経をとがらせているのだ。ただ、原発はいったん燃料を入れれば1年以上運転が可能で、交換用の燃料もある程度あるため、仮にロシアが輸出をストップしたとしてもすぐに影響が出るわけではない。

とはいえ、新たに濃縮施設をつくるのは簡単ではない。アメリカのエネルギー省は2022年5月に「ウランの安定供給の戦略を策定中」と発表しているが、その後、具体的な動きはない。日本の原発がどれだけロシアの濃縮ウランに依存しているのか、電力業界は明らかにしていないが、笹川平和財団によれば日本の濃縮ウラン全体の25％程度がロシア産ではないかとの指摘もある。

いまのところ、ロシアは濃縮ウラン輸出については何も言及していないが、エネルギーの脱ロシアは簡単ではない。今後も動向を注視しておく必要があるだろう。

第2章 原子力業界はなぜ変われないのか

原子力業界の特異な成り立ち

ここまでは、日本の原子力政策と、それに付随する課題を海外の状況も紹介しながら述べてきた。ここからは少し違う角度から、〝原子力村〟とも揶揄されてきた日本の原子力業界の〝体質〟について確認しておきたい。

業界ごとに特有のものの考え方、仕事の進め方、判断や決定の仕方がある。これがいわゆる業界の〝体質〟というものだ。外からは見えづらく、また数値化も難しい。それだけに事故や不祥事の度にまとめられる再発防止策の中で問題が指摘されても、それがのちに改善されたかどうか、わからないままになってしまうことが多い。

30年近い取材経験から、原子力業界に限らず社会的に問題を起こす業界は体質的な弱点を必ず抱えていると言える。では、記者の目に映った原子力業界の〝体質〟とは何か。これを本章では私、山崎の取材をもとに掘り下げていきたい。

最初に記しておくべきは原子力業界の特異な成り立ちだろう。これが体質の形成に深く関わっている。すなわち「国策民営」という体制。核燃料サイクルの政策は国策であり、電力会社をはじめ原発の事業に関わる民間企業、自治体などもすべてはこれに沿って動いている。

そして、電力が重要な社会インフラであるということ。電力不足や停電の発生は社会経済の大きな損失になる。そのため大手電力会社は安定的な経営ができるよう制度設計がなされてきた。いまでこそ電力市場の自由化が進み、事情が変わっている部分もあるが、例えば、会計や財務においては「総括原価方式」がある。原材料費や人件費などのコストを必ず電気料金で吸収できるような方法が認められてきた。

また、売電エリアが電力会社ごとに決まっている、いわゆる地域独占的な市場も特徴だ。電力会社の経営は、良くも悪くもこうしたルールの下で行われてきた。それによって安定的に電力を私たちに供給し続けてきた。日本が世界で最も停電が少なく、周波数の乱れも小さな国の一つであることは紛《まぎ》れもない事実である。

さらに重要な特徴は、関係先が膨大なことだ。プレーヤーの多さが原子力業界を特徴づける大きな要素と言える。政府、与党、そして国会等の場では野党も当然関係してくる。官庁としては経済産業省や文部科学省。規制もあるので原子力規制庁や、それを所管する環境省も関わる。避難計画などは内閣府だ。

発電や送電などの巨大な施設をつくり、整備を担う三菱重工業や日立、東芝といった大手メーカーも主要なプレーヤーだ。そして大手メーカーにぶら下がっている多数の協力会

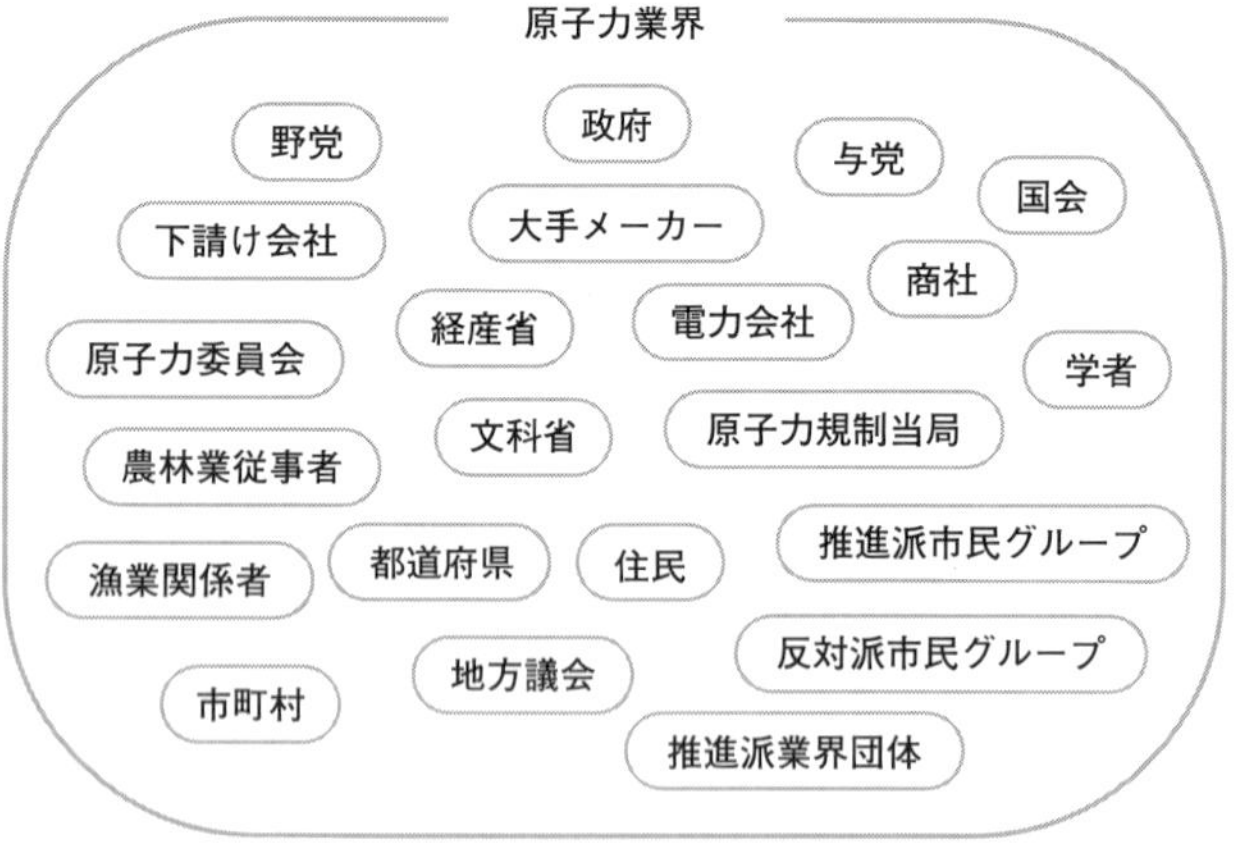

原子力業界に関わるプレーヤーの一例

社、中小企業群もある。そこに、コンサルティング会社や商社なども関わってくる。

また、地方も重要だ。原発の立地自治体とその周辺の自治体、それらの地方議会もそうだ。住民の存在も忘れてはいけない。ここには推進派だけでなく、反対派のグループなども含まれる。漁協や農協なども、ときに関わる。さらに学者などの有識者も、国や自治体の委員会などで登場する。

関係先は国内にとどまらない。プルトニウムの取り扱いなどについては国際ルールもあるから、アメリカをはじめとした各国との関係、そしてＩＡＥＡ（国際原子力機関）など国際機関との関わりも挙げられる。これだけ関与するプレーヤーが多い業界はほかにあまりない。

〝変えずにいること〟を好む業界

ほかの特徴として挙げておかないといけないのは、政策が完成するまでの時間的スパンが長期に及ぶことだ。前章で触れたが、現在の核燃料サイクルの完成は、高速炉の商業化を念頭に考えると百年単位。核のごみの処分に至っては数千年から数万年という時間軸の話がなされている。ここまで来ると、もはや人類が存続しているかどうかもわからない。これほど超長期にわたる事業がほかにあるだろうか。

また、技術的な特徴にも触れておくべきだろう。放射性物質を扱うがゆえの特殊な技術と設備類。これらは軍事技術とも背中合わせだ。アメリカ、ロシア、中国、フランス、イギリスなどの核保有国では、軍事と原子力業界は密接につながっている。

こうした技術の特殊性に加えて、巨大な原子力施設の建設、運営には巨額な金《カネ》も動く。1基つくるのに数千億、場合によっては1兆円に近いコストがかかる。また発電や核燃料に関わる税金や交付金も莫大な額にのぼる。

こうした事情も作用して、電力会社内の各部門の中でも「原子力部門」は唯我独尊になる傾向がある。東京電力でも関西電力でも、事故やトラブルの度に、しばしば原子力部門の閉鎖性が指摘されてきた。福島第一原発事故当時の東京電力の幹部の一人は、「風通しが悪かった」「ほかの部署が口を出しにくい雰囲気があった」と話す。これについて、ある関西電力のOBは、原子力部門のせいだけではなく、周囲もそのように見てしまう雰囲気が閉鎖性を助長している、と分析していた。

外部との価値観の交換は相対的に少ない。また、関係者が多すぎると、何かこれまでと違ったことをしようとする際に、膨大な交渉や調整が必要になってくる。こうして何かを変えるより、〝変えずにいること〟が好まれる傾向が生まれるのである。この傾向は、安定的な供給が求められる電力という商品上の特性も影響していると言える。

いずれにしても、いま述べてきたような特徴によって、原子力業界はほかのビジネスの業界と比較して、体制は巨大化、発想は保守化、硬直化する傾向にある。一組織では何も決められず、国策に沿っていることを前提に多数の関係先と歩調を合わせる必要性が生じる。

また、多数のプレーヤーが関わっているということは、逆に言うと責任の所在をあいまいにしやすい環境であるとも言える。さらに、事業スパンがあまりに長すぎることは、「いま決めなくても影響はないよね」という感覚にもつながりかねない。深刻なのは、原子力業界の内側にいると、この特殊性、閉鎖性を〝普通〟と思ってしまいがちであるということだ。〝原子力村〟と揶揄されるゆえんでもある。

不祥事の本質は何か

確かに、戦後の日本の経済成長に原子力発電が果たした役割は大きい。オイルショックで石油を中東に頼りきりのリスクに直面した日本。当時は石油による火力発電が発電量の6割前後を占めていた。そこで原発に注目が集まる。

原発の燃料となるウランは、調達先が世界的に広く分布し、価格も比較的安定している。エネルギー密度が高いので発電量も稼げる。さらにそこには、エネルギー自立の思いも込められていた。使用済みの核燃料からプルトニウムを取り出し再利用する核燃料サイクルの確立は、準国産のエネルギーを確保する狙いがある。

原発の新設は進み、福島の事故の前年には54基を数えた。発電量はアメリカ、フランスに次ぐ世界第3位の規模。日本は原発先進国であった。記者として業界を担当するまでは、原子力業界は電力のベースを担う原発を、一致団結して運用していると思っていた。

だが、実際に目にしたのは、トラブルや不祥事の度に明らかになるプレーヤー間の意思の不一致、連携の不足だった。例えば「国」と「電力会社」の関係で思い出されるのは、2002年8月に発覚した、東京電力によるトラブル隠しだ。原子炉の「シュラウド」と呼ばれる部品に入ったひびなどの損傷を東京電力が長年、隠ぺいしていた問題だ。

これを機にほかの電力会社でも同様の問題が発覚し、運転中の原発が次々と点検のために停止させられて連日トップニュースとなった。東京に異動したばかりの私は、この不祥事をいきなり担当した。何人もの関係者の紹介を経て、隠ぺいの実態を知る東京電力・福島第一原発の元技術者になんとか接触できた。いったい現場の考えはどうだったのか。率直に聞くと「正直に経済産業省に報告すると、必要以上に長く原発を停止させられるでしょ。再稼働は何年も先になる、そこまで停止するほどの重大な損傷(ひび)ではないんです。設備が安全かどうかは私たちが一番わかっています。本当に危ないなら止めます。事故を起こすようなことを自分たちではしません」と語った。

このとき、不祥事の原因の本質の一つに触れた気がした。つまり、国に相談しても官僚は原発の正しい技術評価ができない。それでも監督官庁としての〝世間体〟もあって、できるだけ長く停止を命じてくる。そのような報告をして原発を止め、電力供給が減ってしまったら、いったい社会の誰の得になるというのか、ということだ。

やや文脈は異なるが、東京電力のある役員がこんな話をしてくれたことがあった。「経産省は、電力会社をライバル視していますから」と。そして、その役員は「電力自由化を進めたのも独占的な電力業界の力を削《そ》ぎたいという思いが根底にはあるのではないですか」と述べた。

実際、経済産業省と東京電力の間に、ある種の対抗意識のようなものが存在していることは、業界を担当した経験のある多くの記者が感じることだ。少なくとも、決して一枚岩ではない。それぞれの置かれた立場が違うため、時に利害がぶつかる。結果、望んだわけでなくとも、連携の不足、すれ違いが起きる。本来原発の運営には、特別かつ最高の安全管理が求められるはずだ。果たしてこれでいいのだろうか。記者として、そのような危惧《きぐ》を感じたことを覚えている。

電力会社と原発メーカーの関係

「電力会社」と「メーカー」の関係にも同じことが言える。原発の建設やメンテナンスなど、日常的に現場を同じくしている両者ではあるが、時にここも一枚岩ではないことがある。

２００4年8月、福井県にある関西電力の美浜原発３号機で直径50㎝あまりの配管が破裂した事故がその一例だ。配管の近くで作業していた地元の下請け会社の社員５人が高温の熱水や蒸気を浴びて亡くなり、６人が大けがをした。

原因は、熱水の流量を計測するために配管の中に取りつけてあるオリフィスというドーナツ状の部品が点検対象のリストから漏れていたことに起因する。この流量計は、部品の前後の差圧で流量を導き出す仕組みのため、どうしても配管内を流れる高温高圧の熱水の流れに乱れが起きる。その結果、配管の内側が少しずつ削り取られて腐食が進むため、点検が必要なのだ。

河川をイメージしてほしい。流れがぶつかると川岸が削られる現象があるが、それとよく似た理屈だ。事故が起きた配管では、約28年にわたって点検されないまま腐食が進み、もともと厚みが１㎝あったものが０・４㎜にまで薄くなっていた。そして、とうとう高圧に耐えられなくなって破断した。

放射性物質は含まない二次系の配管だったので、環境への汚染は認められなかったが、国内の原子力施設で起きた事故の中で、直接的な死傷者数は最多だ。なぜリストから漏れ、長期間、誰も腐食に気づかなかったのか。国や関西電力の報告書は、関西電力、三菱重工業、日本アーム（当時）の品質管理や保守体制に問題があったと指摘している。その一つが、連携の不足だ。

もともと配管の点検を請け負っていたのは、原発を設計し建設した三菱重工業だった。しかし、関西電力は1996年に配管の点検作業を自社の子会社、日本アームに移管。三菱重工業は点検のデータ類を、日本アームに渡した。わざわざ移管したのには、いくつか理由がある。関西電力の技術向上という狙いのほか、経費の削減もあったと言われる。当時、欧米に比べ日本の電気料金は高いと言われた。少しでも安く大量に届けてほしいという社会的ニーズを受けて、発電コストの削減が求められていた。

一方、国内で関西電力が導入した加圧水型の原発をつくれるのは三菱重工業だけで一社独占の状況。入札や相見積りなどが行われるケースは少なく、重要な設備や部品の購入や修理は、事実上、三菱重工業の言い値に近くなる。また、メーカーのノウハウでもある技術は人につく。人件費も含んだ単価は安くない。発注する電力会社からすると「高くないか？」という思いを持ってしまうのも当然だろう。

こうした背景もあり、関西電力は業務の一部を自社子会社の日本アームに移管したのである。三菱重工業は移管にあたり、点検の指導も行った。だが、受注業務の一部がなくなったことには変わりない。

その後の三つの組織の連携はうまくいかない。三菱重工業は途中で一部のオリフィスがリストから漏れていることに気づき修正したが、関西電力に報告していなかった。また、日本アームは事故の前年に、美浜3号機のまさに当該部分がリスト漏れしていることを発見した。日本アームは次の検査の時期に点検すべき箇所の一つとしてメールで関西電力の担当者に送った。だが、関西電力の担当者は報告される多数の点検箇所のデータのうちの一つであったことや、その箇所が長年未点検であるという特記が付されていなかったことなどから、重要案件とは気づかなかったとされ、すぐに対応しなかった。

また、事故の前、三菱重工業が建設に関わった別の原発、北海道電力の泊原発1号機や日本原電の敦賀原発2号機で、事故と同一箇所のオリフィスで配管が薄くなる事象が発見されていた。これを三菱重工業は子会社を通じて日本アームに伝えたとされる。しかし、日本アームは提供される他原発の多数の情報の中の一つであったことから特別な情報とは受け取らず、結果、事故前に関西電力の原発のチェックはなされなかった。なお、このとき三菱重工側は配管が薄くなっていたことは報告したが、その原因がオリフィスのリスト漏れだったことは日本アームと関西電力に伝えていなかったとされる。

こうした三社間の幾度にもわたる連携の不足で事故は起きた。関西電力も報告書で情報共有がされていなかったことが要因の一つとしている。具体的には「当社社員と協力会社社員との接触が少なく、常日頃から親近感を持ったコミュニケーションが不十分であった」としている。また、関西電力として「予想できない異常や不具合を発見したときに、契約先である協力会社とその情報を共有できるプロセスが明確でなかった」ことなどを挙げている。

なぜ有機的に連携できないのか

電力会社とメーカー（および下請け会社）の連携の欠如は、なぜ起きてしまうのだろうか。敦賀支局で担当となってから知り合った関西電力の社員に質問すると、次のような答えが返ってきた。「原発をつくったのは彼らなので、設計や修理はメーカーさんが詳しいんですよ。そこは彼らに任せていますし、そういう契約でもあります」。

一方、敦賀に常駐していた大手メーカーの知り合いと話をすると「私たちは電力会社から言われたことをするのが仕事ですから。どこをどういう風にしてほしいと方針や計画を立てるのは原発を運営している電力会社で、私たちは電力会社から注文を受け、お金をもらってそれを計画通り期日に間に合わせて実施するということです」という。

言い分はわからなくはないが、もう少し有機的な連携ができないものか。原発で勤務経験がある安全分野の専門家は、電力会社とメーカーのそれぞれの意識について、一般論として次のような説明をしてくれた。

「日本では電力会社は車を運転する人。つまり、車のユーザーです。運転（運用）は詳しいが、原発の設計については詳しくないし、それをメーカーで十分学ぶ機会はない。車が故障してボンネットを開けて、どの装置が壊れているかくらいはわかりますが、どうしてそれが壊れるに至ったか、そして、どうすれば壊れないようにできるかまではわからない。そこはメーカーがやるし、そこにメーカーのプライドがある。逆に運転（運用）については電力会社にも、ユーザーとしての運転経験とプライドがあるし、最終的な判断や指示は電力会社がする。発注者は電力会社です。ただ、原発の設計についてはメーカーのほうが詳しいというある種の技術的な負い目のようなものがある。そのため、何をどこまで信頼し、情報を共有すべきか、ユーザーの電力会社とメーカーの間で無意識に遠慮する部分がある」

関西電力が三菱重工業から配管点検を自社の子会社に移管させたのも、技術の向上が目的の一つだった。先に「高く買わされているのではないか」という思いにも触れたが、電力会社が設計までコミットしてより設備に詳しくなれば、価格の妥当性についての判断の精度も上がり、メーカー側との交渉の仕方も変わるだろう。

いずれにしても有機的な連携なしに安全は守れない。電力会社とメーカー、下請けを含めた協力会社の役割分担は関西電力だけでなく、基本的にどの電力会社でも同じだ。ワンチームとなれるかどうかが問われている。

電力会社内のヒエラルキー

すれ違いや連携不足の例は、ほかにも山ほど見聞きした。例えば、原子力の研究開発を担う文部科学省と、その後の商業化を担当する経済産業省との間のすれ違いなどもそうだ。それも大きな問題ではあるのだが、ここでは、これまであまりニュースなどでは扱われてこなかった内容について触れてみたい。

それは電力会社内の「キャリア」と「ノンキャリア」の関係性だ。業界の体質、人事のヒエラルキーを象徴する一例だと感じる。現場の関係者から本音を聞くと、その危うさを痛感する。特に事故などの際にアキレス腱となるのではないか、と。

大手の電力会社で出世するのは、基本的には大学や大学院を出た人たちである。一方、高卒や電力会社が運営する学校、例えば東電学園などを卒業した人の出世には上限がある。こうした学歴による人事の構図はどの業界にもあり、電力業界に限った話ではない。ただ、最高レベルの安全対応が要求される原発の場合、これは有事の際の弱点になりうる。

特に福島第一原発の事故対応でそれを感じた。地元採用の高卒などの社員は地元の原発で長く働くケースが多い。いわゆる「ノンキャリ」だ。その代表で花形のポストが運転員である。長きにわたり各号機を隅々まで見ている運転員は、数万点とも言われる巨大な原発の設備が頭にたたき込まれている。ベテランになると機械の音の違いでトラブルを見分けられるという。

東京から異動でやってくる大卒、院卒の「キャリア」幹部社員はこうではない。数年でまた異動となり、出世していく。もちろん、彼らは組織の管理なども行う立場であり、こうした異動が必ずしも悪いというわけではない。ただ、「それで原発の細部を知りえますか」ということなのだ。

東京電力の場合、原発の所長を事務系が務めることさえある。そうすると何が起きるのか。有事の際は、当然、所長をはじめとしたキャリアの幹部が事務棟や東京の本店から、対応を指揮する。しかし、複雑な設備を広範に理解していないと的確な緊急対応はできない。メルトダウンを起こした1号機で対応した運転員の一人が、あとからこのように語ってくれた。「お偉いさんたちは、こちらが言っている意味もよくわかっていなかったし、そのために混乱したことが何度もあった」と。

そして、「技術的には信頼できないですよ。だって、彼らはプラントのことを知らないですから」とつけ加えた。運転員たちを取材すると、彼らからは強い仲間意識を感じることが多い。自分の担当号機を、「子どものよう」とも表現する。「原発を知っているのは俺たちだ」という自負と責任感。「ノンキャリ」の人たちと、「キャリア」の人たちとの意識のギャップは目に見えないだけに、外部の人は気づきにくいだろう。

こうした状況は、多くの電力会社で大なり小なり共通している。ワンチームになるべき事故の際、この分断が対応を遅らせてしまう。少なくとも原発の運転に関わるところで大学の名前や学歴が必要だろうか。現場を知り、リスク対応に長《た》けた技術者であれば、中卒でも高卒でも大卒でも構わない。最も優秀な人間を配置し、成果に合わせて出世させることが有事に強い組織の条件ではないだろうか。

また、「キャリア」と「ノンキャリ」の分断だけでなく、大手電力会社では学閥もあると聞く。ある種の人事的ヒエラルキーは、電力会社だけでなく、メーカーにもあるし、経産省や文科省にもある。また、電力会社間でも、ある種の序列がある。しかし、こうしたものは有事にはあまり役に立たない。

最後尾に歩調を合わせる

ここまでは原子力業界が決して一枚岩ではない、という取材事例をいくつか紹介してきた。次に、逆のベクトルが働くケースの話をしたい。それは個々にはすれ違いや連携不足がある一方で、全体としては〝原子力を進める〟という目標で一致し、〝横並びであること〟や〝和を乱さないこと〟を優先する文化についてだ。これも原子力業界の体質の構成要素の一つと言っていいだろう。

ＮＨＫでは、東日本大震災の原発事故直後から取材班をつくり、特集番組を継続して放送してきた。その一つが「メルトダウン」シリーズだ。私、山崎も立ち上げに関わったが、このうち２０２０年3月に放送した7作目「メルトダウンＺＥＲＯ」では事故前に立ち返り、なぜ業界がそれまでに対策を施せなかったのかを取り上げた。

取材に当たっては、事故をめぐるいくつかの裁判から、詳細な発言録やメールなどの新資料が明らかになっていたので、それらも読み解いた。そこから見えてきたのは、リスクの大きさに気づいた人たちの声が大勢の中でひろがらず、対策が先延ばしにされ、事故とその拡大を妨げなかった道程だ。

詳細は他書に譲り、本章ではそのエッセンスを紹介したい。例えば、2002年に公表された政府の地震調査研究推進本部の「長期評価」をめぐる判断がある。「長期評価」とは、過去の地震などを踏まえ、将来、三陸沖から房総沖で起こる大地震や津波を想定したものだ。このうち日本海溝寄りの領域で、過去400年間にマグニチュード8クラスの津波を伴う大地震が3回発生しているとして、同様の地震が今後30年以内に20%程度の確率で起きると推定していた。

電力各社はこの長期評価を原発の耐震や津波対策を考える際に採用するかしないかを検討した。東京電力も2008年にかけて少なくとも二度、社内で検討している。二度目は社内で15mを超える津波が想定されるとの具体的なシミュレーションを行うなど、一時は前向きな対応が検討されていた。

しかし、最終的な判断は下さず、いったん土木学会の評価を待つことになった。〝横並び〟の事例の一つはここからである。東京電力は、ほかの電力会社にも追随するよう求めた。東京電力の担当者から、日本原電や東北電力などの担当者に送られたメールが裁判の資料にある。そこには長期評価を取り入れることは「時期尚早《しょうそう》」と書かれ、東京電力から「関係各社の協調が必要」と呼びかける文章が添えてあった。

1社だけが取り入れ、他社が取り入れないとなると、自治体や住民、また反対派などから、「なぜ、あの電力会社は取り入れているのに、御社は取り入れないのか。安全は大丈夫か」と問い詰められることになる。電力各社が東京電力を筆頭に様々な対応で歩調を合わせがちなのはそのためだ。全社の準備が整うまでは、1社の突出を許さない横並びの体制は、結果的に最後尾に歩調を合わせることになる。

先延ばしにしたくない国と自治体

〝横並び〟については、行政の対応も気になる。例えば、国と自治体の関係だ。福島の原発事故に至る過程では、長期評価とは別の地震津波リスクも浮上していた。それは、869年に東日本を襲った「貞観地震《じょうがん》」だ。

平安時代の記録「日本三代実録」には大津波で1000人ほどが溺死《できし》したと記されていて、2000年代以降、津波堆積物の調査が本格的に進んだ。そして2008年、当時、産業技術総合研究所にいた研究者らがレポートをまとめ、この地震は宮城県沖で発生したマグニチュード8・4程度の規模のものであったと見られるとの見解を公表した。この地域でそれまで考えられていたより大きな津波をもたらす可能性が示唆されたことになる。

この知見を対策に生かせるチャンスがあった。折しも国と東京電力は福島第一原発3号機で「プルサーマル発電」というプルトニウムを再利用した燃料を原子炉に入れて発電する計画を立てていた。実施の条件として福島県は、3号機の建屋や設備の耐震を中心に安全性の再確認を国と東京電力に要請していた。結果論だが、もしこの安全性の再確認作業で「貞観地震」の研究成果が参考にされていれば、津波対策も見直しが加えられたかもしれなかった。

しかし、現実はそうはならなかった。理由の一つは、交渉を担当していた経済産業省の職員が貞観地震の津波リスクを差し迫ったものとは認識していなかったこと。また福島県側も明確に貞観地震のリスクを認識しておらず、「議論をしてほしいと県から国に依頼はしなかった」ことが取材によって明らかになった。地震や津波の最新知見をめぐる経済産業省内部、そして東京電力と自治体の情報の共有に問題があったということだ。

そして、〝横並び〟という視点からは、もう一つの背景が浮かび上がる。それは国も自治体も3号機のプルサーマル発電を遅らせたくないという事情があったということだ。福島第一原発では7号機と8号機の増設計画が進んでいた。そしてこの増設計画はプルサーマル発電の開始が実質的な前提条件ともなっていた。

当時は、いまもそうだが、核燃料サイクルで増えるプルトニウムを消費することは重要な国のテーマだ。また、かつて海辺の寒村だったこの地域は、東京電力の原発立地とともに発展し、街づくりをしてきたエリアだ。自治体の財政も地域の雇用も、原発に頼っている。地元自治体は7号機、8号機の増設に前向きで、福島県庁には地元の町から要望も出されていた。

2010年に原子炉の蓋《ふた》を開けて燃料を交換するタイミングを迎えていた3号機。その次の燃料交換は数年先になる。この機会を逃さず、プルサーマル発電の燃料を入れて発電を始めたい。そう考えていた国としては、県から求められた再確認作業にあまり時間をかけたくないという思惑が働いていた。一方、将来的な増設に前向きな自治体側も、国や東京電力から増設の前提として示されたプルサーマル発電を先延ばしにしても得にはならない。

もしも再確認の作業に時間的な余裕がもっとあったら、検討はどう進んだだろうか。少なくとも原発の審査を担当する経済産業省の原子力安全・保安院は、貞観地震と津波のリスクについての研究成果を知っていたし、東京電力の担当者も知っていた。議論の中で、「貞観地震で最新の研究成果が出ている。これは考慮しなくていいの？」という発言が出たかもしれない。急がずに検討をより重層的に行っていれば、判断材料をもっと集められただろう。違う選択も取りえたかもしれない。

いみじくも交渉を担当した福島県の担当者の一人は、私たちの取材に対して、もし貞観地震の津波のリスクを十分に知っていたら県の対応は変わっていただろう、と答えた。

いずれにしても、計画を進めることについて、国と自治体は同じ方向を向いて判断したと言える。これは福島県だけの話ではない。国策民営で進む原子力政策のもとでは、電力会社やメーカーだけでなく、道県や市町村といった地方自治体も、原発が動くことで利益が得られる構図となっている。新増設もそうだし、電源立地地域対策交付金をはじめ、様々な補助金がそれを後押しする。

福島第一原発事故の発生を知ったいまであれば何だって言える、と言われればそうかもしれない。しかし、リスクに気づくチャンスや対策を進める機会が事故の前にあったことは事実だ。それらを各プレーヤーがそれぞれの事情で後回しにし、もし起きたときにどうなるかをイメージできていなかった。

私たちが取材をした人の中に、「安全は後回しだ」「事故を起こしてやろう」などという悪意を持った人は、誰一人としていなかった。どちらかと言うと、分別のある、真面目で優秀な社会人ばかりだ。しかし、そのことがある種の横並びや、和を乱さない雰囲気、空気を読んで「余計なことには触れない」という風潮を業界内に生み出しているのではないか。

こうした原子力業界の体質が、日本が起こした世界最悪レベルの原発事故の根底にある。私たちは、そのことを謙虚に受け止め、教訓としなければならない。

同じミス、不祥事が繰り返し起きている

原子力業界の体質、組織文化を記者の視点と経験から見てきた。すれ違いやある種の対立がある一方で、横並びや互いに課題を指摘しない風潮があることが見えてきた。それは、福島第一原発事故以降も未解決と言わざるを得ない。

その例の一つは、東京電力が再稼働を目指している新潟県の柏崎刈羽《かしわざきかりわ》原発で発覚した問題の数々だ。柏崎刈羽原発6号機と7号機は、2017年に原子力規制委員会の審査に合

格。あとは地元の了解が得られるかどうかだった。政府はこの原発の再稼働を最重要視している。なぜなら福島で事故を起こした東京電力、まさに当事者の原発だからだ。

東京電力の原発が動き始めれば、社会に示す信頼回復の一歩としては大きい。政府関係者は原発の最大限利用の一歩だと言っている。ところが、地元新潟県では東京電力の信頼は地に堕《お》ちたまま、再稼働の道筋は見えていない。

審査合格後、再稼働の手続きや準備が進んでいた2021年1月、衝撃的な発表があった。7号機でいったんは完了したとしていた安全対策工事が、一部で未了だったというのだ。その後、東京電力が詳しく調べたところ、その箇所は107ヶ所に及んでいた。空調設備工事の未了や火災感知器の未設置などだ。これは、メーカーや下請けの作業状況を管理運営する東京電力が、現場を把握できていなかったということを意味する。

東京電力は、要因を部門間のコミュニケーションの弱さ、また工事にあたっての図面の整備、管理に関する不備などと分析し、再発防止策をまとめている。これらはまさに美浜原発3号機の配管破断事故と同じような要因分析ではないか。

まだある。同じく2021年1月、社員が他人のIDで原発の心臓部の中央制御室に不正進入していたことが発覚した。不祥事はそれだけにとどまらず、2月にはテロ対策の機器10ヶ所以上が壊れたままで、長期間不審者の侵入を許すおそれがあったという核物質防護上の問題が明らかになった。

東京電力の報告書によると、IDの不正使用では、現場全体に「社員は内部脅威にはならない」という、テロに対する甘い認識があったとしている。また、核物質防護上の不備については、福島の事故後の経営悪化を受けて、機器の更新を先延ばしし、長く使い続けたことで故障が増え、現場で代替措置をとっていたが、社員一人で複数のモニターを監視しながら別の業務も行うという危ういものだった。これに対しては協力企業から原子力部門の責任者にリスクがあると伝えられたが、責任者は対応せず、社長にも報告しなかったため問題が共有されず、不祥事が相次いだと結論づけている。リスクの共有、連携の不足がここにもある。

事態を重く見た原子力規制委員会は核燃料の移動を禁止。事実上の運転停止命令を出し、現状では再稼働できない状況が続いている。

業界の体質が事故を近づけている

テロ対策に関する問題は外部のリークがきっかけで公《おおやけ》になったものも多い。

例えばIDの不正使用が公になったのは、あるネットの掲示板がきっかけだった。そこには、「東電の隠ぺい体質は相変わらずなのでリークしたい」「運転員は他人のIDを使用した」「テロ対策は万全でなければならないのに、社員の意識の低さは信じられない」などと書き込まれていた。

現場で問題があっても共有されず、多くの社員は問題が起きたことさえ知らない。福島の事故を教訓に、東京電力は原発の安全管理を原子力部門任せにせず、経営トップが責任を持つことを明確にし、安全が何よりも優先する安全文化を組織全体に根づかせていくと誓った。しかしこのとき、経営トップは問題が起きていることさえ把握していなかった。

核物質防護という秘密が多い分野だったという事情はある。しかし、核物質防護も最終的には原発の安全確保に関わるわけで、問題があったら必ず報告が上がる体制をつくっていなかったトップの責任は重い。不祥事を受けた会見で、東京電力の小早川智明社長は「本気で生まれ変わる」と述べたが、これまで何回も聞いたフレーズだ。いったいいつになったら生まれ変わるのか。

〝横並び〟の悪い面も解決していない。西日本の大手電力会社による電力販売における独占禁止法違反が発覚し、公正取引委員会は2023年3月、独占禁止法に基づく排除措置命令および課徴金納付命令を出した。いわゆるカルテルだ。

関西電力、中国電力、九州電力、中部電力などの間で、互いに官公庁向けなどの大口電力の安値販売を控えようという合意がなされていたとされる。期間は2018年から2020年までのおよそ2年間と見られる。こうした大口の販売はすでに自由化されている。公正取引委員会の見立てでは、競争が十分なされなかったことになり、顧客は高値で電気を買わされていたことになる。

電気というものは、公益性が高い。大手電力各社でつくる電気事業連合会を中心にどの電力会社も品質に差のない電気を全国各地に送り届ける。〝横並び〟にする意味は確かにある。ただ、原発が安全を最大限優先しなければならないことを考えたとき、判断を最後尾のメンバーに合わせようとする〝横並び〟は、事故を遠ざけるどころか近づけてしまう。〝最前列に合わせる横並び〟が求められる。

ここまで原子力業界について体質という視点から見てきたが、日本政府が原発回帰を進めるというのであれば、ここにこそメスを入れないとリスクは拭《ぬぐ》い去れない。だが、方針転換の議論の場で、業界体質が十分議論されたとは言いがたい。

リスクを想定することは、将来を想像すること

関係者には耳の痛いことを書いてきたが、対応がうまく機能したケースも紹介しよう。そこに再生のヒントがあるからだ。

日本原電の東海第二原発は、東日本大震災で冷却機能にダメージを受けた。しかし、海水を引き込むポンプの一部が生き残り、原子炉の冷却を継続できた。メルトダウンは免れ、首都圏は救われた。理由は津波対策用の壁をポンプ周りに事前に設置していたからだ。これは茨城県庁の原子力の担当職員からの相談がきっかけだった。

房総沖で起きた過去の地震評価を独自に行っていた茨城県では、浮かび上がった津波のリスクを担当職員が日本原電に打診し、対応を求めた。会社は時間をかけずに取り掛かれる対策をいくつか施した。防潮堤は時間が必要なので、盛り土で高さを稼いだほか、水密の扉に取り換えた。海水ポンプを守る壁の設置もその一つだった。まさに福島の原発事故後に採用された対策を先んじて行っていたのだ。

宮城県にある東北電力の女川《おながわ》原発も大津波の被害を最小限に食い止めた原発だ。建設当時に幹部の知恵と決断が生かされた。東京電力などと違い、地方の電力会社は地元の出身者が多い。そのため、三陸海岸が歴史的に何度も津波に襲われていることは皆、家族から

も聞いているし、学校でも習うため肌身に感じている。だからこそ、建物の場所を海面から14m以上の地点とした。貞観津波も想定し、ギリギリだったが津波は越えてこなかった。

リスクを想定するということは、不確実な将来を想像することにほかならない。そのうえでどう判断するか、そこが問われる。より最悪を想定した判断こそ、原発のような被害が甚大になる施設には求められる。女川原発は、その好事例だ。

もう一つ、福島第一原発事故の対応の拠点となった福島県広野町《ひろのまち》と楢葉町《ならはまち》にまたがるサッカー施設のJヴィレッジについて。ここに支援のスタッフや物資が集められ、福島第一原発を日夜支えたが、被災当初、地震の揺れで浜通りをつなぐ主要道路の国道はいたるところで通行不能となった。どうやって物資や人を運んだのか。じつは2007年の新潟県中越沖地震を受けて、東京電力は原発につながる道路の橋（JRの跨線橋・金山橋）を補強していた。橋は壊れず、この道路が迂回路の役割を果たし、福島第一原発へのルートが維持された。

その整備に関わり、東京電力で原発の所長も務めたOBは「あの道がなかったら1F（福島第一原発）をどこまで助けられたか。広い駐車場があり、除染もできて、大量の物資や人を集められる施設はあの周辺ではJヴィレッジしかなかったので。災害のように起きるかどうかわからないものに対しても万一を考えて整備をしておく、リスクを想定するとはそういうことだと改めて感じます」と振り返る。

国道の復旧が行われるまで、この〝裏道〟が福島第一原発に残り決死の対応をした人たちを支えた。柔軟に万一を考えての対応だった。しかも時間をかけずに取り組んでいる。最高レベルの安全が求められる原発を運営するためには、こうした判断が必要だということである。

ただし、東海第二原発の取り組みは記者へのリリースはなかった。私、山崎も事故後に知った。日本原電の役員を務めたあるOBに聞くと、「日本原電は東京電力など各電力会社からの出資で成り立っています。他の電力会社の立場、特に社長を迎えている東電のことは考慮したのでしょう」と答えた。

最後尾に歩調を合わせる〝横並び〟は、結局、リスクに対して脆弱になり、誰も幸せにしない。そのことを東日本大震災は教えてくれている。

製品としての原発の完成度

最後にニュースではあまり取り上げられない角度から問題を提起しておきたい。原発事故を取材していると、製品としての「原子力発電所」の完成度について、「商品として成立していると言えるのだろうか」と引っかかることが幾度となくあったからである。

物質が核分裂を起こすと、膨大なエネルギーが放出される。核分裂の発見は1938年。そのわずか7年後、人類は核兵器をつくり、広島と長崎に落とした。終戦後は原子力の平和利用が世界的に叫ばれ、原発の開発競争が欧米を中心に行われた。イギリスが黒鉛炉、アメリカが軽水炉、旧ソ連も独自のタイプを開発した。

早くも1950年代には、各国とも一応の開発を終え、自国の原発を政府レベルで盛んに売り込むようになった。終戦から10年あまりで、原発という製品は登場した。日本が最初に導入したのはイギリスからで、日本原電が茨城県の東海原発を1966年から運転している。また、現在国内の主流となっている軽水炉については、1962年の時点で美浜原発1号機の誘致を地元の町が決定している。原発は戦後20年足らずで世界へとひろがっていったのだ。

私、山崎が製品としての原発の完成度に懸念を強く持ったのは、やはり福島第一原発事故がきっかけだった。事故時に原子炉の水位がわからなくなるという、大きな問題が明らかになった。原子炉の水位は非常に大事だ。水が減ると核燃料を冷やせなくなり、温度がどんどん上昇し、二千数百℃に達すると核燃料そのものが溶ける。メルトダウンだ。だから、原子炉の水位は、平時は当然、事故時には最も知りたいデータの一つになる。

だが、事故のとき、この水位を知らせる水位計が当てにならなかった。水位計の仕組みは少し複雑だ。強い放射線が出る高温高圧の原子炉の内部に取りつけることは難しいため、設計が工夫されているからだ。図を見てほしい。原子炉の上部と下部から伸びた二つの細い管でつながった「基準面器」と呼ばれる容器がある。数十cmほどの容器だが、その容器の中にも水が張られている。水が入った原子炉の圧力と、この容器の水にかかる圧力の差で原子炉の水位をはじき出すのである。

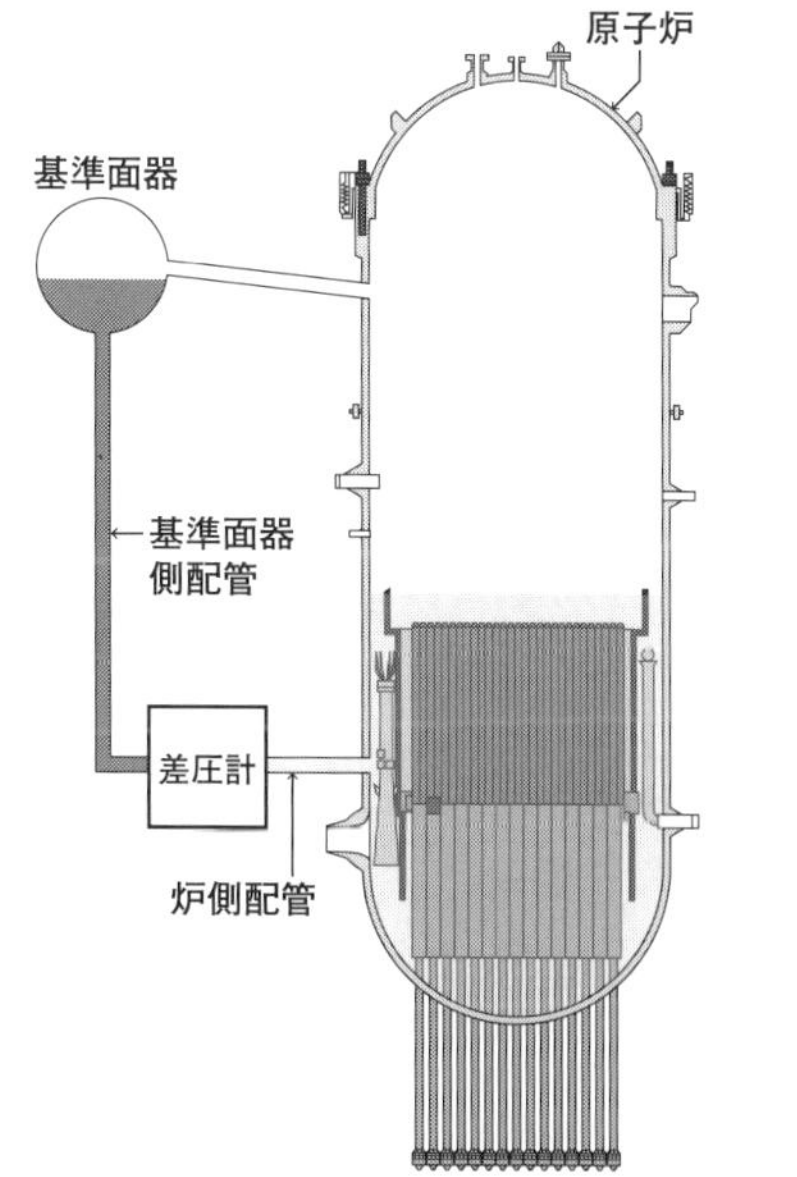

水位計の仕組み（東京電力報告書をもとに作成）

ところが、原子炉が異常を起こして熱くなると、この容器も熱を受ける。そして100℃を超えると、容器内の水が蒸発し減ってしまう。そうすると正確な圧力差が出せなくなる。しかも、容器の水が減れば減るほど、中央制御室では原子炉の水位が、実際より高く表示されてしまうというのだ。

こうした構造的な理由から、事故時に最も知りたい原子炉の状況が正確にわからない。実際、1号機では事故初日の午後9時半ごろ、すでに核燃料はむき出しになっていたと見られるが、水位計は核燃料より20㎝高い値を示していた。運転員など設備に詳しい技術者は水位計の特性を知っているので、途中から疑っていた。だが、免震重要棟や東京電力本店の事故対応にあたった多くの社員は、当初、報告される水位に疑いを持っていなかった。冷却ができていると思ったわけだ。

その情報は国や官邸にもそのまま上げられている。対応が後手に回ってしまった元凶の一つと言っていい。また、原子炉の温度を測る温度計にも限界がある。現在使われているものは核燃料が溶け始める２０００℃台までは測れない。温度計そのものの材質がそれほどの高温に耐えられないからだ。

想像してほしい。自動車メーカーの社長が、新車の発表会で「この車は、万一、故障でブレーキがきかなくなり暴走したとしても、スピードメーターが正確な速度を示すことができないので時速何㎞出ているかは不明です」と説明したらどうだろうか。福島第一原発事故で指揮をとった東京電力の吉田昌郎所長は、当時を振り返り、「計器が見えない飛行機のようなものだった」と発言している。

事故調査をまとめた国や国会等の各報告書でも計測の課題は指摘されている。事故のあと、経済産業省は水位計の設計を改善できないか、検討会を開いた。しかし結局、強い放射線下では、いまの仕組みを超える設計案は出なかったという。そのため、再稼働にあたっては水位計の温度を測るほか、原子炉への水の入りと出を緻密に把握するアプローチをとることになっている。

設計を過信してはいけない

また、福島第一原発で1号機、2号機、3号機の原子炉が冷やせなくなり、核燃料がメルトダウンしていく中、関係者が最も危惧したのが、原子炉を納めている格納容器が破裂することだった。

そうすると、原子炉内の核燃料が外部にむき出しになってしまう。格納容器は高さ30mあまりの鋼鉄製の大きなフラスコを想像してもらえるとよい。原子炉が異常を起こしても放射性物質は格納容器の中で閉じ込めることが求められる。格納容器は最後の砦《とりで》として大変重要な設備だ。だから、格納容器を壊さないよう、高圧になると気体を外部に放出するベントという最終手段さえ許容されているのだ。

福島での事故では、各号機で圧力が設計の限界を超えた。格納容器はいわばパンパンになった状態でいつ破裂してもおかしくなかった。もし破裂すると、最後の砦がなくなり、チョルノービリ原発事故と同様に、極めて高濃度な放射性物質が直接、外部に漏れだしていくことになる。もはや発電所には誰も近づけなくなる。

チョルノービリでは、いまも周辺三十数㎞は無人の土地となっている。事故による放出量は福島第一原発の約5倍とも言われる。原発でのこうした重大事故は、専門用語で「過酷事故」と言うが、その専門家に過去何度もレクチャーを受けたことがある。過酷事故のときに格納容器をどう守るかが最大のポイントになると毎回言われた。原子力の関係者はこの格納容器の破裂を最も恐れる。

後述するが、福島の事故初日からスタジオで解説を担当した中で、2日目の1号機の爆発はまさに格納容器がやられたと思った。上部が骨組みになった1号機の建物の写真が示されただけで、詳細はまったくわからない。しかし最悪を想定して、政府の発表はなかったがさらなる避難の必要性に言及したのはそのためだ。結果的に、このときは水素爆発が起き屋上が吹き飛んだが、格納容器は破裂していなかった。

では、なぜ圧力が限界値を超えていたのに破裂しなかったのか。じつはのちの調べで、格納容器の鋼鉄製のボディーのつなぎ目や、配管が貫通している隙間、また出入り用のハッチなどから、気体が漏れて圧力が緩和されていたことがわかっている。これが「ドカンと破裂」する事態を避けられた要因の一つと見られる。気密性が重要な格納容器は、つなぎ目や隙間が樹脂などで埋められている。国の定期検査でも気密性のチェックは厳格だ。ところが、あまりの高温でこうしたつなぎ目の樹脂などが溶けてしまい、隙間ができていたのだ。

事故前、高温高圧でこうした微小な漏れが起き、破裂が回避されるかもしれないという説明は一度も受けたことがなかった。知り合いのメーカー関係者、何人かにそのあたりを質問した。「高温高圧でどこかの時点で格納容器のどこかの部分が壊れることは想定していますが、どう壊れるかは自分も含めて誰も具体的なイメージを持てていなかったと思います」との答えだった。別の技術者は、「結果的にパックリと口を開けるような破損ではなかったのは、技術者としてはホッとしました。実験をしたわけではないから、破損の仕

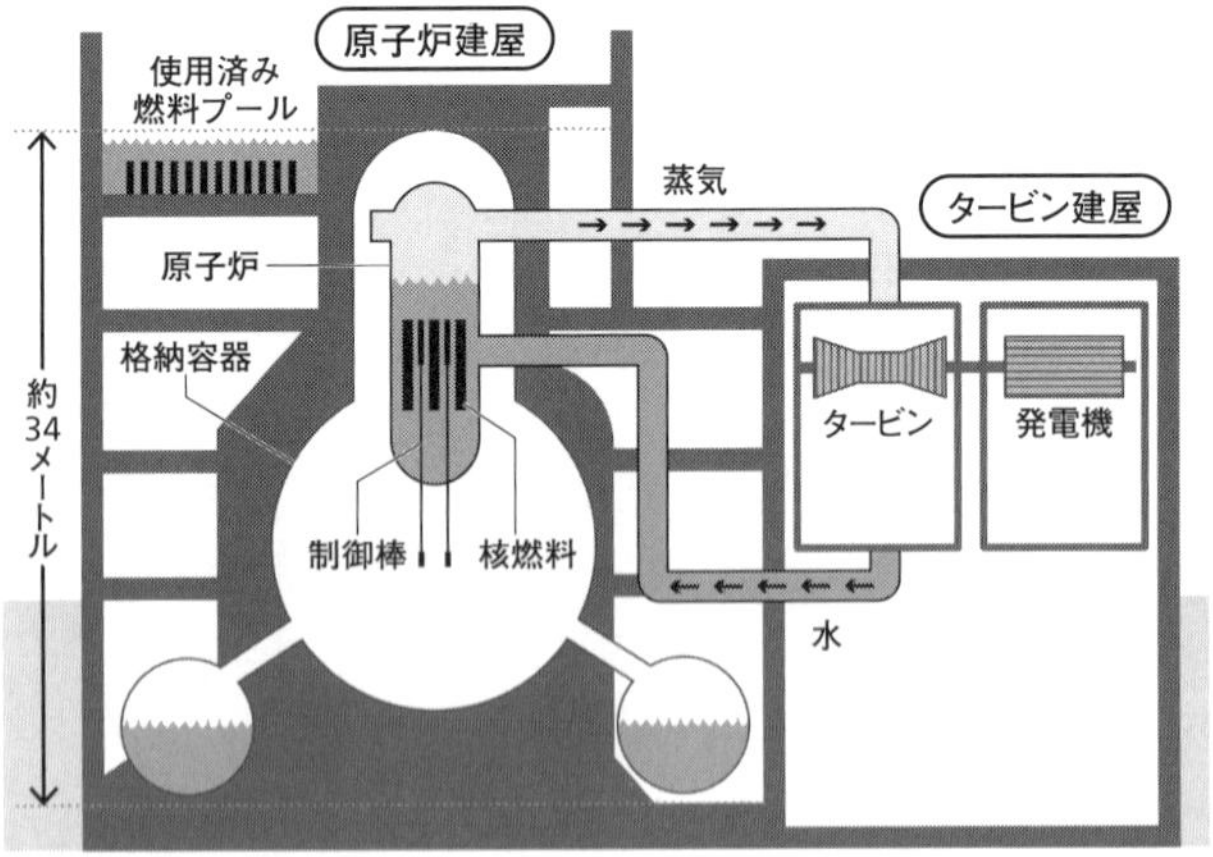

福島第一原発の構造

方までを正確に言い当てることは皆、難しいのではないかと思います」という答えだった。

少し調べると、最後の砦である格納容器について、原発を開発したアメリカのメーカーが実際の大きさの格納容器にガスをパンパンに入れて耐圧試験を行っている。当時としては可能な限り実機レベルで性能を確認しようとしたのだろう。しかし、条件が実際の事故とは違う。核燃料を使うわけにはいかないので強い放射線は出ていないし、二千数百℃という高温を再現しているわけではない。また、開発当時はいまのようなコンピューター技術もなかったため、精度の高いシミュレーションをすることもできなかった。

原発が生み出された時代とはそういう時代であり、かつ各国は開発を急いでいた。核燃料が暴走したときの対応を、実際の条件で確認できていないのである。こうした原発という製品の出自をどう考えるべきなのか。原子力関係者には、「いまの設計がけっして万全ではない」、そういう慎重な姿勢で臨んでほしいと思う。

第3章 福島第一原発事故と廃炉の行方

福島第一原発事故から12年

原発は、つくればいずれ廃炉にしなければならない。安全に解体ができるのか。放射性物質の処理はどうするのか――。運転とは別の課題に向き合う必要がある。そして、最大の難関は数十年に及ぶ福島第一原発の廃炉をきちんとやり遂げられるのかということだ。原発に回帰するのであれば、こうした後始末をしっかりできることが前提であろう。

福島の事故以降にできた新しい規制基準により、古かったり出力が小さかったりする原発が20基あまり廃炉となった。今後、日本は本格的な廃炉時代を迎える。本章では原子力のリスクをまざまざと見せつけた12年前のあの事故を振り返るとともに、廃炉の現在地と課題について考える。

2011年3月11日。日本を、そして世界を震撼させた福島第一原発事故が発生した。午後2時46分、三陸沖を震源とする巨大地震が発生。福島第一原発は1号機から3号機が運転中だった。大きな揺れを感知して、原子炉は設計通り自動停止した。この時点では想定内の対応がなされており、原発のコックピットとも言える中央制御室では、所定の手順に従って、設備に異常がないかの確認作業に入っていた。

状況が激変したのは、午後3時を過ぎてからだ。中央制御室は原子炉がある建物に隣接

日	時間	出来事
3月11日	午後 2時46分	東北地方太平洋沖地震発生
	午後 3時36分ごろ	原発に津波の到達始まる
	午後 3時42分	1～3号機で電源喪失による「10条通報」
	午後 4時36分	1、2号機で冷却不能による「15条通報」
	午後 7時 3分	「原子力緊急事態宣言」発令
	午後 9時23分	3km圏避難指示。10km圏屋内避難指示
3月12日	午前 5時44分	避難指示が10km圏に拡大
	午後 2時30分ごろ	1号機ベント
	午後 3時36分	1号機水素爆発
	午後 6時25分	避難指示が20km圏に拡大
3月13日	午前 5時10分	3号機冷却不能による「15条通報」
	午前 8時41分	3号機ベント開始
3月14日	午前11時 1分	3号機水素爆発

福島第一原発事故発生当初の流れ

して設置されている。直線距離で、原子炉からだいたい数十mの場所だ。部屋は放射性物質の影響を受けないようにつくられているため、窓はなく、外の様子はわからない。午後3時半すぎは、原発に津波が到達したと見られる時間だ。何度か原発を襲った津波は、最大15mの高さがあったと推定されている。

津波は防波堤を大きく越えて敷地内に流れ込み、建物のシャッターや入り口から内部に浸水。1階部や地下にあった、電気系の設備や非常用ディーゼル発電機が相次いで水没した。これにより原発は電気を失う。また、バックアップの発電能力も水没で使えない。ここから運転員たちは経験したことがない事態に追い込まれる。

午後3時42分には、「10条通報」が1号機と2号機、3号機に出される。10条通報とは、原子力災害特別措置法に基づいて、重要な設備に被害が出ているときに国や自治体、メディアに対して出される通報だ。その後、午後4時36分には最も危険な状況になったことを伝える「15条通報」が1号機と2号機に出された。理由は、原子炉に冷却のための水を注入することが不能になるおそれがあるからだった。

午後7時3分には、政府が原子力緊急事態宣言を出した。この宣言を受けて、事故対応や防災対応については政府の指示で行われることとなった。この宣言が出されるのは、もちろん茨城県東海村の臨界事故で仕組みが整備されて以来、初めてだ。

午後8時50分には、福島県が福島第一原発から半径2㎞圏に住む人々に避難指示を出した。午後9時23分には、今度は政府が半径3㎞圏に避難指示をひろげ、さらに半径10㎞圏に住む人々には屋内退避を指示した。ただ、これらの政府や経済産業省、原子力安全・保安院の発表には、「念のための措置です。今、直ちに原発に危機があるわけではありません」と注釈がつけられていた。

事故のときに起こっていたこと

情報取材にあたった記者やスタジオにいた私、山崎が一番知りたかったのは、具体的な原発の状況だった。それがないと発表内容の〝危険の度合い〟が判断できない。しかし、判断材料となるような情報はほとんどなかった。停電や設備の破損で、固定電話も携帯電話もほとんど断絶していたのだ。

東京電力本店は自社のテレビ会議で福島第一原発から情報を得ていたが、その先の政府と経済産業省、原子力安全・保安院には十分な情報が入っていなかった。さらに、先にも触れたが、このとき原子炉の水位計は正確な数値を示していなかった。情報が枯渇《こかつ》する中で、1号機の冷却装置は動いていると思われていた。

メディアも含めて、多くの人が原子炉の危機を根拠を持って把握できたのは、翌12日へと日付が変わる少し前のことだ。1号機で運転員が炉の圧力の計測に成功。設計の6倍という高圧になっていた。のちのシミュレーションから、すでにこのころ核燃料はかなり溶けていて、12日午前2時ごろにはほとんど融解。原子炉を突き破って落下していた。メルトスルーだ。しかし、そうした状況は東電本店も政府も正確には認識できていなかった。

12日の未明、国と東京電力はベントを実施することを決断する。午前5時44分には政府が避難指示の範囲を10㎞に拡大。ベントとは、原子炉を納めた格納容器を破裂から守る最終手段だ。容器内の汚染された気体を排気塔から外に放出して、圧力を減らすことをいう。放出の前に水の中を通して、放射性物資をある程度取り除きはするが、すべてが除去できるわけではない。住民の生活圏に放射性物質が降り注ぐことになる。

ただ、先にも書いたが格納容器が破裂するともっと広範に重大な被害をもたらす。吉田所長は「東日本の壊滅」を覚悟したと、あとから話す。その〝最悪〟を防ぐための、最後の手段がベントなのだ。

ベントのためには、外につながる配管の弁を開ける必要がある。電源を失っているので手動だ。運転員たちは放射性物質が漏れているエリアに、決死隊を組むなどして突入した。しかし、放射線量の高さに阻《はば》まれてしまう。午前10時すぎに別のラインから空気注入で弁を開く作業が始まった。初日の夜からスタジオに入りっぱなしだった山崎は断片的に入る情報について解説をしていたが、深夜、12日に日付が変わり、しばらくして伝わってきたニュースで炉の冷却失敗を確信した。格納容器の圧力が限界を超えているというのだ。

根拠のある情報は限られていたため、断定調の発言は控えたが、トーンは変えた。ベントの話題に触れる際、余計な被ばくを防ぐ服装や対応、屋内退避の仕方などについて伝え

水素爆発後の1号機の様子（出典：東京電力ホールディングス）

たことを覚えている。その後、ベントが行われたことで、格納容器の破裂は免れた。

ホッとした矢先の12日午後、突然、原発の写真が持ち込まれ解説を求められた。このとき、長時間の停電でNHKのカメラは作動を止めていた。動画はなかった。写真を見ると、1号機の原子炉建屋の最上階部分がない。血の気が引いていく。分厚いコンクリート製の屋上を吹っ飛ばすのは格納容器の破裂しかない……、だとすれば最悪の事態だ。国土と多くの人命を失うことになる。

チョルノービリ原発事故では、原発の職員や、収束のために出動した消防士らが急性の被ばくの症状で死亡している。これが福島で起きることになる。人的被害を減らすには、少しでも遠方へ逃げるしかない。政府発表はなかったが20㎞圏からさらに外への避難の必要性を呼びかけた。

爆発の時間は12日午後3時36分ごろ。あとからこれは格納容器の破裂ではなく、屋上に溜まった水素の爆発だとわかった。1号機の格納容器はまだ機能を維持していたと見られる。しかし、他の号機にも危機は拡大する。冷却装置が動いていた3号機も装置が限界を迎えて停止し、14日午前11時過ぎに水素爆発。2号機も15日の午前6時10分ごろに爆発が起こったと見られるが、詳しい場所や原因はまだわかっていない。いずれにしても、同一の発電所で三つの炉がメルトダウンし、爆発を起こした事故は史上例がない。

核燃料デブリ取り出しの目処

世界を震撼させた事故の発生から2023年で12年だ。いま、福島第一原発の各号機はどうなっているのか。敷地の放射性物質の濃度は、事故直後の100万分の1にまで減った。散乱していたがれきの大部分は撤去され、かつては防護服やマスクなどの重装備をつけて現場に入っていたが、いまでは軽装で建屋に近づけるようにもなった。

各号機のプールに残されていた使用済み核燃料の移動も進んでいる。３号機、４号機はすでに作業を完了した。１号機はまだ建屋の最上部の階にあるプールに３９２体の核燃料が残されているが、これらの移動は２０２７年度から28年度に始まる予定だ。２号機も２０２４年度から26年度に取り出し開始予定だ。しかし、山場はこれからだ。溶け落ちた核燃料デブリの取り出し。そして、トリチウムを含む水の海洋放出だ。廃炉の行く末を左右する大きな取り組みが始まろうとしている。

現場で廃炉作業はどう行われているのか、私、水野は２０２３年2月に23回目となる現地取材をした。正面ゲートで免許証や指の静脈の確認など厳重なチェックを受けたあと、放射線の線量計を手渡され、専用のバスに乗って構内を海側へ進む。しばらくすると1号機から４号機までが見渡せる高台に到着する。１号機の原子炉建屋まではおよそ１００m。建屋の上部には水素爆発によって発生した汚染されたがれきが、いまだ撤去できずに残っているため、放射線量は1時間当たり１００マイクロシーベルトと、一般人の年間限度１０００マイクロシーベルト（1ミリシーベルト）に10時間で達する強さである。事故直後よりはかなり下がったが、１年前と比べるとほとんど変わっていない。

1号機から3号機の核燃料デブリの総量は８８０ｔあると見られる。極めて強い放射線が出ているため、政府・東京電力は遠隔操作ですべて取り出し、事故から最長40年、つまり2051年までに廃炉を完了させる目標を掲げている。

この燃料デブリをめぐっては、この1年で前進があった。いまも建屋上部が激しく損傷し骨組みだけが残る1号機では、それまでデブリが見つかっていなかったため、東京電力は建屋地下の格納容器内に水中ロボットを投入。冷却水の中を進むと、原子炉の下にデコボコした黒い塊《かたまり》が見つかった。デブリの可能性が高いと見られている。

また、原子炉を支える土台となるコンクリート構造物が一部破損し、鉄筋がむき出しになっているのが確認された。燃料の高温の熱などの影響でコンクリートが溶けたと見られ、メルトダウンの激しさが改めてよくわかる。原子炉の耐震性に問題がないかを詳しく調べる必要があり、デブリの本格的取り出しは目処が立っていない。

それはほかの号機も同じで、同じく水素爆発した3号機もいまだ取り出し方法の検討段階だ。その隣の2号機は最も内部調査が進み、機器で小石サイズのデブリをつまみ上げられることが確認できており、東京電力は2021年末までに試験的に取り出すことを目指してきた。

しかし、強い放射線の下、遠隔操作で動かせる機器の製作経験が日本にはなく、核融合炉で実績のあったイギリスに開発を依頼し、長さ22mの巨大なロボットアームを製作した。アームの先端は器具が取り換えられる仕組みだ。

東京電力はこれまでロボットの操作はメーカーの作業員にまかせ、自らは安全管理などの役割にとどまっていた。しかし、初めて社員が操作することを決め、20代・30代の若手を公募して訓練を始めた。デブリ取り出しは長期間続くことから、東京電力が主体的に関わる必要があると判断したからだ。

最初の取り出しにあたるのは9人の社員で、その訓練は簡単なものではない。例えば、ねじ1本を締めるにしても、カメラが映し出す映像だけを頼りに、すべて遠隔で操作しなければならない。ねじをうまくつかめず空回りを起こしてしまうなど、若手社員たちは苦労して訓練していた。そしてその後、ロボットアームそのものも改良や設計の見直しが必要になったとして、取り出し開始は2023年度後半に延期されることになった。

何をもって廃炉完了とするのか

延期は許されないなどということを言いたいのではない。デブリ取り出しは大変な作業で、東京電力がメーカー任せにせず、ようやく前面に出てきたことは評価できる。ただ問題なのは、最長40年ですべてのデブリの取り出しが可能なのかという点だ。

ロボットアームによる最初の取り出しは数ｇと想定されている。耳かき一杯程度だ。しかし、デブリは全体で８８０ｔある。40年で廃炉を完了するためには、残された28年、単純計算でも毎日休みなく85kg以上取り出す必要がある。当然、取り出し器具のメンテナンスも必要で、トラブルを度外視したとしても毎日１００kg近くを遠隔操作によって取り出さなければならない。

また、デブリは格納容器の底だけでなく、上の原子炉本体部分にも残されている。それらもどうやって取り出すのか、具体案は示されていない。それどころか、まだ誰も中を見たことすらないのだ。

そうした中、これまでデブリ取り出し方法の目処が立っていなかった3号機について、政府の廃炉戦略のベースを立案する原子力損害賠償・廃炉等支援機構（ＮＤＦ）は、建屋全体を鋼製の構造物で囲い、内部を水で満たしてデブリを取り出すという大胆な案を検討していると、２０２２年秋に明らかにした。

最初に取り出す2号機は水で満たさず、空気中で取り出すことが計画されているが、放射性物質が漏洩すれば作業員が被ばくするおそれがある。そこで、放射線や放射性物質の飛散を抑制できる水の中で取り出し作業をしたいということから先の案が出された。

だが、建屋の下の岩盤を掘削する困難な工事が必要となるほか、建屋全体を水で満たすことで15万tの汚染水も発生する。実現は相当困難ではないかと、機構のトップに聞いたところ、様々な案のうちの一つとしながらも「単なるアイデアではなく本気で検討している」と真顔で説明した。

このように取り出しが困難なことに加え、取り出したデブリをどう最終処分するのかという問題がある。福島県は県外での処分を求めているが、受け入れる自治体はいまのところなく、簡単な話ではない。計画通りの全量取り出しは困難と言わざるを得ないだろう。事故から12年、デブリは本当に全量取り出せるのか、現場をいつまでにどのような状況にしていくのか、政府・東京電力はより現実的な廃炉の計画を提示し、地元と議論を始める時期にきていると思う。

例えば、同じように燃料が溶ける事故を1979年に起こしたアメリカのスリーマイル島原発。燃料はすべて原子炉内にとどまり、放射線を遮《さえぎ》る効果がある水を張って作業ができたこともあり、事故から6年で取り出しに着手し、事故から11年後に作業を終えている。ただ、すべてを取り出せたわけではない。およそ135tのデブリのうち99％は取り除いたが、配管などには1・3tが残されたままだ。しかし、残っていてもこれが外部に拡散するおそれはなく、リスクは十分取り除いたとして、運転中だった別の号機が廃炉になるまでの間、放射能の減衰を待つことにした。

原子炉などの解体は今後行われる計画だ。こうした廃炉作業の長期的な計画について、現地では電力会社や大学の専門家や州の関係者、そして住民らで構成されるシチズンパネルと呼ばれる話し合いの場が設けられ、そこで廃炉の現状が説明されて合意の上で決められた。

もちろん福島第一原発についても、政府・東京電力と、地元との調整の場はある。ただ、現状調整されているのは、長期的な問題よりも処理水など当面の課題が中心だ。福島県が当初の約束通り40年での廃炉の完了を望むのは地元としては当然だが、いま必要なのは何をもって廃炉とするのか、その最終形について関係者の間で共通認識を持つことだろう。

例えば、燃料デブリをすべて取り出して建屋も解体し、汚染土壌についてもすべて福島県外に撤去して更地にするのか。更地にするには数十兆円かかるかもしれないが、更地にした場所を何に再利用するのか。あるいは、デブリなどをある程度取り出しもう二度と放射性物質の大量放出が起きないところまでリスクを下げ、建屋や廃棄物は残して長期管理することを目標にするのか。何を目標とするかによって、作業の優先順位も大きく変わる。

原子力の専門家からも廃炉の最終形について、いまから地元とともに議論を始めておくことの必要性が指摘されているが、この問題について検討されることがないまま、原発推進の方針転換だけが決められてしまった。

処理水の放出

福島第一原発の廃炉にはもう一つ、当面の最大の課題が横たわっている。トリチウムなどを含む大量の処理水の扱いだ。先に少し触れたが2023年2月現在も平均で毎日100tの汚染水が発生し、これを専用の施設で浄化処理し、多くの放射性物質を基準以下にしているが、トリチウムは水と組成が近く、一体化しているため除去できない。

ただ政府・東京電力は、トリチウムは水道水にも含まれており、放射線のエネルギーが比較的弱く、濃度が低ければ健康への影響は考えられないとして、原発の排水基準の40分の1以下に薄めて海へ放出する方針を決めた。政府・東京電力は放出の時期について2023年夏ごろとしている。

私、水野が現場に行くと、準備工事が着々と進められ、岸壁では二つの貯水槽が建設中だった。一つめの貯水槽には海水で薄めた処理水が溜められ、トリチウム濃度を最終測定し、基準の40分の1以下であることが確認されれば、もう一つの貯水槽へ移し、地下の海底トンネルに流す。実際に放出される沖合1㎞の海底にはすでに放出口が設置済みで、海面には4本の杭《くい》が出ていた。

このように放出の準備は着々と進むものの、地元が放出を了解したわけではない。処理水の海洋放出に対し、地元では復興に向けタンクが林立した状態が残るのは好ましくないため放出はやむを得ないという意見がある一方で、風評被害を懸念する漁業者らの反発が続いている。このため、政府は漁業者に対し「関係者の理解なしにはいかなる処分も行わない」と約束する文書を出し、風評被害への対策として、売れ残った魚を買い取るために300億円の基金を設けたほか、漁船の燃料代などへの支援を強化するため新たに500億円の基金をつくるなど大規模な経済支援策を打ち出している。

また、事故以降販売が落ち込んだ福島の魚の販売の支援も行っている。このうち東京電力が行っている支援活動を取材したときの様子を紹介しよう。2023年1月、東京電力の社員が都内で8店舗の鮮魚店を展開する会社を訪れ、福島の魚の販売イベントへの協力を依頼した。会社側は、福島で魚の放射性物質検査の実施状況を確認し安全は確保されて

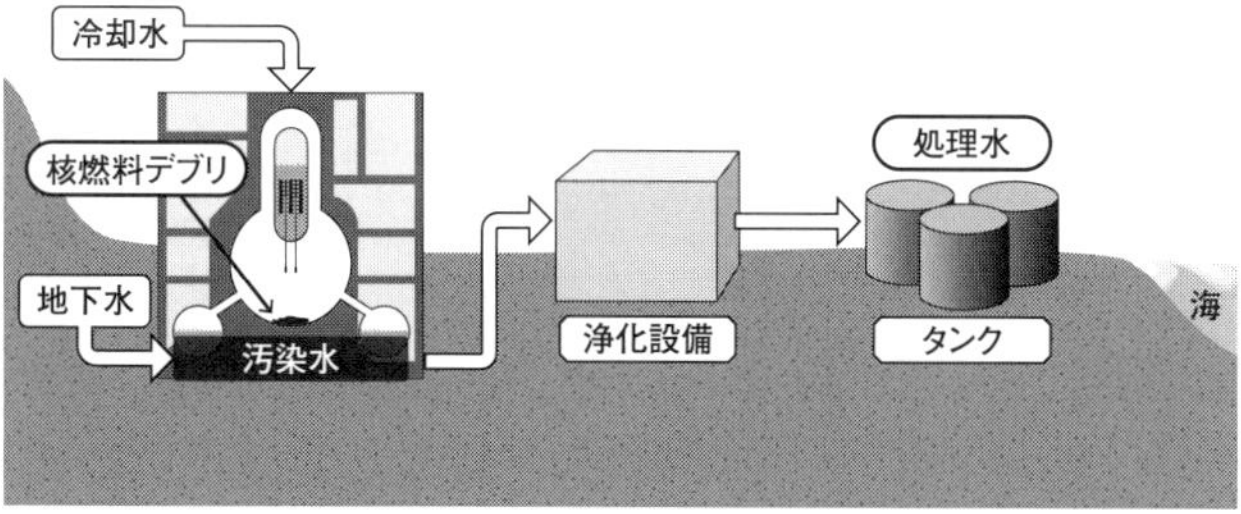

汚染水が専用施設で浄化処理されるまでの流れ

いると考え、これまで3回協力しており、今年も協力を決めた。

当日、都内の商店街の鮮魚店に東京電力社員3人が訪れ、まず福島産の魚や製品にシールを貼って陳列を手伝った。また訪れた客にも東京電力社員が声をかけていった。すると男性の客がヒラメ1匹を丸ごと購入。居酒屋で刺身にして出すと言う。取材中、ほかにも主婦らが魚製品を購入。福島の魚への抵抗感は薄れているように感じた。東京電力によると、こうした支援活動で福島の魚を扱う店も徐々に増えてきているという。ほかにも政府や福島県がPR活動を続けていることもあり、福島の沿岸漁業の水揚げ量は2022年、事故後最も多くなり、ようやく事故前の2割まで回復した。

せっかく回復基調にあるのにいまここで処理水が放出されたら、これまでの努力が水の泡になる。これが福島の漁業者が反対する理由だ。2023年2月に行われた西村康稔経済産業大臣と福島の漁業者の意見交換会でも、漁業者から「処理水への世間の認識不足を感じている。もっと全国に情報発信してほしい」という意見が相次いだ。全国の消費者にはいまだ処理水が放出されることへの認識や理解がひろがっておらず、このまま放出となれば再び風評により魚が売れなくなることを懸念しているわけだ。

一般の認識に変化がないのは、NHKの世論調査にも表れている。2023年2月の調査で、処理水を薄めて海へ放出する方針に、賛成が27%だったのに対し、反対が24%。単純比較はできないものの、2022年8月の調査で放出が妥当かどうかを聞いたときと、傾向はほとんど変わっていない。

政府は海洋放出の方針を決めて以降、説明会を1000回以上開いているというが、漁業者や流通関係など、関係者への説明が中心だ。テレビCMやウェブ広告も出しているが、全国の消費者に対し、直接、処理水について説明したり議論したりする場はほとんど設定されていない。

それは事故を起こした当事者の東京電力も同じで、魚販売の支援活動の場でも積極的に処理水の話題に触れることはなかった。漁業者が反対するのは放出によって消費者が福島の魚の購入をためらうおそれがあるからで、処理水問題はなにも福島だけの問題ではない。全国の消費者に処理水問題を知ってもらい関心を持ってもらうことが不可欠だ。今後も各地で消費者を交えて処理水について積極的に説明し議論する場を設けていく必要があると思う。

このように政府・東京電力が目指す理解は得られていないにもかかわらず今回、この処理水問題についても突っ込んだ検討が行われることがないまま、原発推進の方針だけが決められた。

ある自治体の混乱といま

ここまで福島第一原発事故を改めて振り返り、その現状とこれから続く廃炉の課題を考えた。一方で、この章を締めくくるにあたり、福島に暮らす人々の姿と思いについても紹介しておきたい。

福島第一原発の〝立地自治体〟は双葉町《ふたばまち》と大熊町《おおくままち》、福島第二原発は富岡町《とみおかまち》と楢葉町、浜通りと言われる福島の沿岸部の、四つの自治体だ。避難指示の範囲がどんどんひろがり、四つの自治体はゴーストタウンとなった。12年経って帰還がかなり進んだが、いまだに戻れていない地区が一部には残る。

多くの住民の人生を変えたあのときの混乱。一人ひとりに悲壮なドラマがあった。4自治体の悲劇は言うまでもなく、すべてを歴史に残すべきであるが、ここではこれまであまり注目されてこなかった近隣自治体のストーリーを知ってもらいたい。

福島第二原発から10㎞前後、福島第一原発から20㎞弱の阿武隈高地の山間地にその村はある。福島県川内村《かわうちむら》。事故当時人口3000人の、林業と農業が中心の小さな山村だ。

3月12日、役場の時計の針は午前7時を指そうとしていた。福島第一原発から10㎞のエリアに避難指示が出されてからおよそ1時間。突然、川内村の総務課の電話がけたたましく鳴った。前日、村も震度6弱の揺れに襲われたため、役場では夜通し被害の確認や住民の対応に追われていた。

電話を取ったのは当時、総務課長だった井出寿一(当時57歳)だった。井出の耳に緊迫感のある声が飛びこんできた。電話の主は富岡町の遠藤勝也町長だった。井出は最初、地震と津波の被害を心配して声をかけた。「町長、おはようございます。大丈夫ですか?」。井出はこのとき、原発事故で順次避難指示が拡大していたことを知らない。停電に加え立地自治体ではない川内村は、安全協定を結んでいないため国からも東京電力からも連絡がなかった。

「井出君、国から原発の避難指示が出た。町民を川内村で引き受けてもらえないだろうか」。突然の申し出に井出は驚いた。原発の状況はよくわからなかったが、町長の尋常ならぬ声に「村長に伝えて、速やかにお返事します」と応じた。

井出からの連絡を受けた川内村の遠藤雄幸村長はすぐに受け入れを決定した。最終的には住民だけでなく、富岡町の役場も警察署も広域消防の機能も、川内村に移ることになった。富岡町は福島第二原発の立地自治体だが、第一原発からも10㎞圏に入る。午前7時45分には足元の福島第二原発で半径3㎞圏内の避難指示が出たことで、富岡町内のほとんどの地区が避難の対象となる。

富岡町の人口は川内村の5倍あまりの1万6000人。川内村につながる県道はあっという間にマイカーやマイクロバスであふれかえった。午前9時には大渋滞となり、受け入れる村役場は戦場のようだったと井出は振り返る。小中学校はもちろん、集会場など使える施設はすべて開放し、あわせて20近い施設で受け入れた。

村の職員もすべて初めてのことで手探りだ。井出が原発の異変を少し知ったのは、逃げてきた富岡町の住民の話からだった。津波で停電してトラブルが起きているらしいと聞かされた。それ以上のことはわからなかった。

「川内村は二つの原発からそれぞれ10km以上離れています。当時の原発防災の計画の対象は半径10km圏、つまり村は対象には入りません。だから訓練はやったこともなかった。国や東京電力から原発の情報も来ません。情報がない中、あふれるように避難する人たちが来ました。富岡とは歴史的にもつながりが深く交流も多い。なんとかしようと職員だけでなく婦人部や消防団など村民の総力戦でした」

避難してきた人は、村の人口の3倍を超えた。食料の備蓄は足りない。急いで防災無線で村民に提供を呼びかけた。米や野菜などが次々に持ち込まれた。東北・福島の3月はまだまだ寒い。防寒の毛布や布団も必要だった。これも防災無線で呼びかけた。自らも地震で被災していた村民たちが総出で支援した。

再生への道のり

必死の受け入れが続いた12日の午後。突然、爆音が村を包む。午後3時半すぎだ。福島第一原発1号機で水素爆発が起きた。もちろん村の人たちは、その爆音が何かはその時点ではわからない。海のほうから聞こえた音に嫌な予感がした。

それ以降、避難指示範囲は次々に拡大する。午後5時39分には、福島第二原発の避難指示が半径10㎞圏に拡大。午後6時25分には、今度は福島第一原発の避難指示が半径20㎞圏に拡大。相次ぐ避難指示の拡大に富岡町と同様、ほかの原発の立地自治体の双葉町、大熊町、楢葉町も大規模な住民避難を余儀なくされた。

当然、その近隣の自治体でも川内村と同じように、避難者の受け入れや渋滞で大混乱が発生した。あまりに突然のことで、住民は文字通り、家財道具を家に残し、着の身着のままで逃げた。事故が収束したらすぐに戻って来られる、最初はそう思っていた人も少なくなかった。

しかし、14日には3号機が水素爆発を起こす。15日には福島第一原発の半径20㎞から30㎞圏に屋内退避の指示が出された。村も全域が屋内避難となった。「事故は収束どころか拡大しているではないか」。情報は不足していたが、さすがに原発が厳しい状況に陥っていることは想像がついた。その日、川内村と富岡町は合同の対策本部会議を村役場で開く。富岡町はここでさらに内陸の福島県郡山《こおりやま》市へ避難することを決めた。

富岡町民を受け入れた川内村も決断した。遠藤雄幸村長も富岡町と一緒に郡山市へ全村民の避難を決定したのだった。井出は振り返る。「屋内退避により外で支援活動もできなくなりました。放射性物質が放出されているようでしたから、できるだけ遠くに逃げるべきではないかと。それなら早いほうがいい。それが村の判断でした」。井出は取り残された人がいないか、ほかの職員らと手分けして村内を一軒一軒回った。「いつ村に戻って来られるのだろうか」と不安がよぎったという。

川内村で再び住民の声が聞こえたのは1年後だった。帰村宣言を出したのである。放射性物質の影響を受けた浜通り地域の自治体の中で最も早く帰還が始まった。風の方向などから土壌の汚染が飯舘村《いいたてむら》など、ほかの自治体に比べて少なかったことも判断を後押しした。

事故から12年経ち、山崎は川内村を改めて取材した。井出は役場を定年退職し、地域振興に取り組む社団法人で第二の人生を送っていた。少し白髪が増えたが、変わらない笑顔を見せてくれた。復興の状況を説明すると言って車で村内を案内してくれた。

井出は振り返る。「原発があんな事故を起こすとは思っていなかったからね。村は立地自治体ではなく周辺自治体だったから原発防災の訓練もやったことはなかったし国や東京電力から訓練をやれと言われたこともなかった。やはり、ちゃんと知っておかなければならなかったね、原発とは何かを。ずっとそこにあったから、日常になっていたしね。多くを失ったが、多くを学んだ。それを次に生かさないと」。

川内村は新たにワインづくりに挑戦している

人口の8割は戻った。川内村の帰還率は福島県内では高いほうだ。ただ、2割は戻っていない。特に若い世代の帰還が進まないという。そうした中で村は様々な振興策を進めていた。野菜工場の誘致や工業団地の整備など。事故でいったん止めていた畜産も再開していた。

その中でも目を引いた取り組みがワインづくりだ。村の新たな特産にしようとしていた。阿武隈《あぶくま》高地の気候がブドウ栽培にいいらしい。かつて牧草地だった山の斜面にブドウを植え、近くに醸造所もつくった。赤と白の切れ味のよいワインが出来上がっていた。いよいよ全国への本格販売をスタートするという。

事故から12年。浜通りの市町村の首長も多くが交代した。当時の混乱を知る現役の首長は川内村の遠藤雄幸村長ただ一人となった。遠藤村長にこれからについて聞いた。

「村民のおかげでここまで村を復興することができました。ただ、課題は若い世代、子どもたちの世代にどう村に戻ってもらうかです。それはほかの浜通りの自治体も同じです。小さいですが歴史のある村です。この先もずっと人が住み続けてほしい。そのためにはまず生活ができる医療や教育などのインフラの整備、そして新産業にも挑戦していきます。ワインもその一つ。中山間地域の特徴を生かした産業育成を進めています。私は事故前の村に戻すのが復興だとは思っていません。事故の前よりも暮らしやすい新しい村をつくることが大切だと思っています。新しい人にも来てもらって村民と一緒に新しい風を吹かせてほしい。そんな村づくりを心掛けています」

川内村だけではない。原発事故で暮らしを失った自治体は、いま再生にむけた道を歩み始めている。その歩みを日本全体で見つめ、支えていくことが、原発事故へと向き合う第一歩になるのではないだろうか。取材を終えてそう感じた。

第4章

立ち後れる再生可能エネルギー

課題となるエネルギー密度

ここまでは原子力政策と福島第一原発に関わる課題を著者二人の取材体験から論じてきたが、本章では視点を変え、再生可能エネルギーの現在地を確認しておきたい。日本のエネルギーのこれからを考えるためには、原発だけでなく、ほかのエネルギーを含めて、全体を俯瞰《ふかん》する必要があるからだ。

福島の事故を受けて、日本でもようやく再生可能エネルギーが存在感を増してきた。中心は太陽光だ。陸上風力も大型のものがつくられるようにはなった。しかし、欧米各国や中国と比べると、その普及はまだまだ途上と言える。なぜ日本ではいまひとつ再生可能エネルギーが伸びないのか。

電力会社の関係者がネックとして挙げるのは、太陽光や風力など自然由来のエネルギーは「密度が低い」こと。密度が低いとは、言い換えると電気を1単位つくるのに必要なエネルギーを集める手間がすごくかかるということだ。一方、石炭や天然ガスを燃やす火力発電、そしてウラン燃料を使う原発は燃料の持つエネルギー密度が高い。効率的に燃焼させ大容量で発電ができる。

例えば太陽光は、密度が低いため、降り注ぐ光を長時間、広範囲に受け止める必要がある。よく電力関係者が使うたとえがある。原発1基分（100万kW級）と同じだけ発電をするためには東京の山手線の内側の土地、すべてに太陽光パネルを置く必要がある、というものだ。

太陽光発電も性能が上がっているのでそこまではないにしても、それほどエネルギー密度に差があるということだ。また、太陽光は日陰になったり夜になったりすると発電ができない。風力も、エネルギー密度が低く、長時間、広範囲に風を受け止めなければならない。この課題を乗り越えるには、発電効率を高めていく必要がある。

再生可能エネルギーの普及が進み、技術開発も進んでいることで、太陽光発電も風力発電も徐々に発電効率がアップはしてきている。しかし、まだ化石燃料にはかなわない。燃料費がかからないという自然エネルギーの魅力は大きいが、効率の低さがネックとなっているのは確かだ。

かつて日本は再エネ先進国だった

若い読者は意外に思うかもしれないが、日本はかつて再生可能エネルギーの最先端の国だった。きっかけは1970年代のオイルショックだ。化石燃料依存から脱却する議論が行われた。原発導入も進んだが、同時に太陽光発電や風力発電、そして海の波や潮《しお》の力を利用する海洋発電など、様々な基礎研究と開発が国主導で行われた。これは「サンシャイン計画」と呼ばれ、いまの日本の再生可能エネルギーの技術の基礎をつくったとも言われる。

こうした取り組みで2000年代初頭、太陽光パネルの世界の主要メーカーは日本勢だった。また後述するが、海のエネルギーを使った発電技術も様々考案され、欧米を中心に日本のアイデアは注目されていた。ほかに地熱発電なども導入が進んだ。

日本はしばしば「資源が少ない国」と形容されるが、この言葉は正確ではない。石油は確かに少ないし、石炭はあるにはあるが、海外に比べて掘るのにコストがかかる。しかし、自然由来エネルギーの潜在性は高い。

火山国の日本では、地熱はアメリカとインドネシアに次ぐ第3位の資源量を持っている。波や潮を使った海洋発電はまだ実用段階に来ていないが、日本の全海岸線に寄せる波のエネルギーだけを見積もっても国内の総発電量の3分の1にのぼるとされている。

また日本の排他的経済水域（EEZ）の面積は、約400万㎢で世界屈指だ。海を使った発電は将来のフロンティアになりうる。また、森林資源にも恵まれており、バイオマス発電にはアドバンテージがある。決して資源小国ではない。見方を変えれば、資源大国とさえ言える。要は、どう実用化するかだ。

サンシャイン計画などにより再生可能エネルギーの分野では一時期、世界のトップを走った日本だが、その後、太陽光も風力も欧米や中国が導入を大幅に進め、日本勢はトップを追われた。風力発電は、国内でもはや製造していない。

諸外国の後塵《こうじん》を拝した理由は複数ある。オイルショックから日本経済が立ち直る中、火力発電は安定供給が可能な天然ガスにシフトした。また原発の導入も各地で進み、再生可能エネルギー開発の機運はしぼんでいった。発電効率が劣ることに加え、既得権益、業界の体制や体質なども影響したのだろう。

しかし、福島での事故で少し風向きが変わる。政府は再生可能エネルギーの導入割合を大幅に増やす目標を提示し、主力のエネルギーに育てる方針を示した。固定価格買い取り制度も導入され、太陽光発電を中心に、陸上風力、小水力（小川や水路での発電）、バイオマスなどが対象になり、普及が進んでいる。そして現在、いよいよ洋上風力の取り組みも本格化し始めた。

本書では紙幅の都合もありそのすべてを詳細に見ていくことはできないが、洋上風力の導入現場の取材を通じて、日本の再生可能エネルギーの現在地と課題を浮かび上がらせてみたい。

洋上風力発電は切り札になるか

2023年、国内初となる大規模な洋上風力発電所が秋田県沖で商業運転を始めた。

ウクライナ危機で電力の安定供給と脱炭素の両立が課題となる中、政府は洋上風力を再生可能エネルギー拡大の切り札と位置づけ、2040年に最大4500万kW、原発45基分を導入する目標を掲げており、一歩踏み出した形だ。能代《のしろ》港と秋田港沖に高さ150mの大型風車が合わせて33基設置され、2023年1月までにすべて運転に入った。これらは、一般家庭13万世帯分の電力供給を担っている。私、水野はその現場を訪ねた。

秋田県では長年、日本海から吹きつける強い風が悩みの種だったが、逆にこれを生かそうと、早くから陸上風力に取り組んできた。導入量は全国2位。加えて洋上風力を設置するのに適した遠浅《とおあさ》の海がひろがっていることから、全国に先駆けて港周辺の海域を対象に事業者を公募した。

海外で洋上風力を手がけてノウハウを蓄積してきた丸紅など13社が出資する発電会社が

秋田県沖の洋上風力発電

選ばれ、1000億円かけて建設を進め今回の商業運転が実現した。秋田県ではこのほか港湾区域より沖の海域でも100基あまりの洋上風力が計画され、地元では産業の中核に、との期待が高まっている。

とはいえ、拡大には多くの課題がある。騒音対策や漁業者の理解なども進めていく必要があるが、洋上風力をいかに産業化していくかも大きな課題だ。日本はいつの間にか風力後進国となっているからだ。日本の電源構成では再生可能エネルギーはようやく20・3％まで増えたが、その牽引役は太陽光で、風力は陸上中心でわずか0・9％にとどまっている。ドイツやイギリスで20％以上、アメリカや中国でも5％以上ある中、出後れは明白だ。

陸上風力が後れた理由について、政府は、風車を建てやすい平地であり、かつ風が強い適地が限られていること、また景観の悪化や騒音の懸念から反対もひろがったためと説明する。

実際、2022年にも宮城県の蔵王連峰近くに23基を設置するという関西電力の計画に対して、地元から「蔵王の景観を損ねる」と反対が相次ぎ、関西電力は計画を撤回した。また2023年1月にも、宮城県の別の場所に17基を建設する計画が地元からの環境への懸念の声を受けて、事業者が風車を減らすことを明らかにするなど、計画見直しが相次いでいる。

これまで再生可能エネルギーの牽引《けんいん》役だった太陽光も、山の斜面を切り開いて設置したものが大雨で崩れるなどの被害が出たことで反対が拡大。経産省によると2021年度までに184の自治体で開発を規制する条例ができ、大規模開発が難しくなりつつある。

とはいえ、脱炭素などへの対応に向けて再生可能エネルギーの拡大は待ったなしの状況だ。そこで、政府としてはこれまでほとんど手つかずだった洋上風力を切り札にしようと考えた。洋上風力は風車を海に浮かせ、海底へ据えつけなければならないなどの理由から、陸上より技術的なハードルが高い。だが、四方を海に囲まれた日本では大量導入が可能で、陸地から離れるため、風車を大型化しても騒音や景観上の懸念も少なくなるメリットがある。

海外ではヨーロッパを中心に30年前から導入され、イギリスでは40の海域で2300基の大型風車が稼働。また直近では世界の導入量の80％を中国が占めるようになり、発電コストもかなり下がってきている。

政府は4500万kWの目標達成に向けて、対象を港周辺からより広い海域にひろげ、風が強く、漁業者ら地域の理解が得られた海域を30年間洋上風力を行うことができる促進区域に指定するなどの法整備をすでに行っている。実現度が高い順に全国の海域を3段階に分けて計画が進められており、4海域では事業者がすでに決まった。

政府は多くの事業者が参入できるよう、複数の省庁にまたがる審査の窓口を一本化したほか、2023年度からは海域の風や地質などの初期調査を政府が肩代わりして行い、データを事業者が利用できるようにするなどの支援策も進めている。

海外頼みから脱却できるか

ただ、こうした支援だけではじつは十分ではない。秋田の現場を見ると、技術と人材に課題があることがわかる。

秋田港で建設された風車の支柱の高さは65m。風車の羽根は1枚が60mで、陸上風力の1・5倍ある。陸上よりも強い風を受け、より大量の電力を生み出すために巨大化した。こうした部品はヨーロッパの会社から調達され、船で運ばれてきた。

海外に頼らなければならないのは、日本が風車をつくれない国になってしまったからだ。以前は国内でも陸上風車がつくられていたが国内での需要が伸びないため、メーカーがすべて撤退してしまった。洋上風力は最近のものだと羽根は長いもので100mにおよび、ゆっくりと動いているように見えるが、先端は時速300㎞で回っている。それでも壊れない素材や構造が求められるため、日本がいますぐつくろうとしてもできないのだという。

また今回、作業船で建設にあたっていた作業員の6割あまりが外国籍だった。大型風車の組み立てには高い技術が必要で、先進地ヨーロッパの技術が欠かせないからだ。技術不足と人材不足のため、地元への発注は総事業費の1割にとどまっている。

もちろん、地元も指をくわえているだけではない。この状況を何とかしたいと動き始めた企業もある。秋田県由利本荘《ゆりほんじょう》市の従業員80人の機械メーカーでは、航空機部品を開発してきた技術力を生かし、これまで陸上風力に使われる風車の土台の部品製造を手掛けてきた。洋上風力が始まったのを受け、発電機などが入る心臓部の部品受注を狙っている。ただ、陸上よりかなり大型になるため、開発は簡単ではないという。それでも、関係企業に問い合わせ、数億円かけて大型機械を導入するなど先行投資に踏み切った。そして、受注につなげようと視察に訪れた外国の風車メーカーの責任者に、技術力のアピールもしている。

人材面の動きも出始めている。秋田県能代市では、高校での再生エネルギー関連の特別授業に力を入れている。2022年11月、能代科学技術高校（バスケットボールで有名な旧能代工業高校）で行われた特別授業を取材した。1年生115人が講堂に集まり、最初に大学の専門家が洋上風力が世界的に拡大する状況を講義した。

その後、全員がバスに乗り、能代港沖の洋上風力の見学会が行われた。風車を前にして、能代市の担当者は秋田県内で多くの洋上風力の計画があり、建設やメンテナンスで雇用が期待されることを説明。秋田県内にはヨーロッパの風車メーカーの拠点が開設されていることもあり、能代市の担当者は生徒たちが将来の進路の選択肢として洋上風力に関心を持つことに期待を寄せている。

今後、洋上風力の目標達成に向けては、海外に頼るだけでなく国内でも部品の調達が可能となり、建設やメンテナンスができるよう産業化を図っていくことが不可欠だ。そのためにもこうした企業の技術開発や人材育成の取り組みを充実させ、ほかの地域にもひろげていかなければならない。

政府は目標達成に向け、そして、脱炭素と電力の安定供給に向けて、定期的に目標の進展具合をチェックしながら課題を見極め、有効な対策を継続して打ち出す必要がある。

再生可能エネルギー導入が進まない理由

政府が再生可能エネルギーの今後の切り札の一つとして力を入れている、洋上風力の現状を見た。日本という国は海に囲まれている。欧州に比べると遠浅の海が少ないことや台風などで強風が吹くことなどのデメリットもあるが、それさえ技術で克服できれば、成長ポテンシャルは高いと言える。

風力に限らず、先に書いたように日本の自然エネルギーの潜在性は高い。かつてはサンシャイン計画のように世界に先んじた動きもあった。しかし現時点では、欧米、そして中国に製造と市場の両面で追い越されている。

そこに複数の要因があることはすでに記したが、加えて気になるものがある。それは、日本では新規事業が育ちにくいという指摘だ。これこそが再生可能エネルギーの普及が後れる理由の根底にあるのではないかとさえ思えてくる。その一例を私、山崎の取材から紹介しよう。

兵庫県神戸市に本社を構えるジャイロダイナミクス社。社員は10名あまりの中小企業だ。開発に着手したのは1995年。代表取締役社長の古澤達雄の本業は、原発や火力発電の関連部品の納入や修理作業など発電関連の事業だが、新規事業として目をつけたのが波力発電だった。

古澤はきっかけをこう話す。「時代は常に動いています。化石燃料は二酸化炭素を出しますし、いずれ枯渇します。原発は核のごみが残る。こうした課題を考えれば、いずれ自然エネルギーへの移行は必然だと考えていました。特に島国の日本で、海は無尽蔵のエネルギーがある。ここから電気を得られれば、ゲームチェンジです。ただ、技術開発は一朝一夕にはできません。できるだけ早く着手することが大切です」。

古澤が手を組んだ技術者がいる。神戸大学名誉教授の神吉博《かんきひろし》だ。もともとは三菱重工業でタービンなどの回転機器を得意としていた技術者。その後、神戸大学で研究を行っていた。神吉も海洋エネルギーに着目していた。この二人の出会いにより、波力発電装置の開発が始まった。

波の力を電気に換えるにはいくつも方法がある。二人が目指したのはそれまでにない、ユニークなもので、ジャイロの原理を使うものだった。ごく簡単に説明すると、回転する物体は姿勢を一定に保とうとする性質を持つ。玩具のこまが倒れずに回るのも、ジャイロ効果のためだ。海上に浮かべた装置が波で揺れる中、バランスを取ろうとして回転体が回る仕組みを神吉が考案した。

神吉はこう話す。「ジャイロ式波力発電は、技術的に実用化できるという確信がありました。しかし、その規模を考えると、大学内では限界があり、企業で開発する必要があると考えていました」と。また古澤は「離島ではディーゼル発電が行われており、燃料費がかさんでいると聞いていました。まずは海に囲まれた離島でジャイロ式波力発電を補助的な電源として使えば、経済的にも、そして二酸化炭素排出抑制の面でもビジネスにつながるのではないかと考えました」という。

大学で小型の装置をつくったあと、2004年からは海上に実際に浮かべる試作機に取り組んだ。試作1号機の出力は5・5kW。2号機は22・5kW。鳥取県の賀露《かろ》港で実験した。

ジャイロダイナミクス社の波力発電ジャイロ。和歌山での実験の様子

3号機と4号機は45kW。これらは和歌山県の周参見《すさみ》漁港に浮かべた。場所も地元自治体と漁協の理解がないと確保できない。探すのに苦労し、頭を下げて全国を回った。

試作機は、段階を経て大型化させ、データを採取する。古澤は本業の資金も投入して開発を進めたが、なにせ金がかかる。1号機から3号機の実験はJST（科学技術振興機構）の大学発ベンチャー創出推進事業の支援を受けた。大学で生まれた技術の実用化を目指して研究者と起業家とがペアとなって進める案件に出される補助金だ。

和歌山での実機試験を終え、基礎的な技術に目処を立てた古澤と神吉は実用化を視野に入れ、次のステップに踏み出すことを決めた。さらに大型化し、発電効率を上げなければいけない。もちろん開発費もさらに増える。すでに借り入れもしており、さすがに自社だけでは限界があった。古澤らは経済産業省の外郭団体ＮＥＤＯ（新エネルギー・産業技術総合開発機構）の事業に期待し、申請した。目指すは１００kWの実証機だ。デモ機はすでに完成させていた。設置する海の選定も並行して進めていた。また、ここからは大手メーカーの支援も必要だった。

古澤は言う。「発電事業を実用化にまでもっていくのは、中小企業単体では無理ですね。波の力は強大です。係留する技術も不可欠ですし、送電などの設備も必要です。ほかから援助や支援がないと難しいと痛感しました。正直、大手との共同開発は悩みました。お金をもらうと口も出されますから（笑）。しかし、開発を続けるために大手に入ってもらう道を選びました」。

古澤は神吉と相談し、自然エネルギーに関心を持ち、この開発に参加を希望してくれた日立造船に共同開発を申し込んだ。浮体や係留技術は日立造船が、発電システムはジャイロダイナミクスが担当して進めることになった。実用化に向けた次のステップが始まろうとしていた。

打ち切られた補助

古澤や神吉が奮闘していた2000年代、海洋発電は世界的にも注目が集まり始めていた。トップランナーは海洋国家イギリスで、スコットランド地方など北部の海域に海洋発電向けの特別な海域を設定していた。開発中の装置を設置して発電し、電気を送電ケーブルで陸上まで送り、様々なデータを採取できる実証実験エリアだ。通称EMEC（European Marine Energy Centre）。条件さえあえば、どのような会社でも開発中の発電装置を持ち込んで海に浮かべることができる。

日本メーカーも数社がここでの実験に関心を持ち、現地にも関係者が視察に入っていた。2012年、この施設を取材した。チャーターしたボートで海上を回ったが、特異な形の羽根やタービンを備えた発電機がいたるところから顔を出している。海の万博のようだ。イギリスは北海油田の埋蔵量に限界が見えてきたことから、風力発電の普及に力を入れてきた。洋上風力の普及が進んでいるのもそのためだ。さらにその先に海洋発電を見据えていた。日本も同じ島国だ。基礎技術では後れを取らないはずだった。

しかし、古澤と神吉の前に突然暗雲が立ち込める。NEDOの事業化のための補助が継続されないことになったのだった。

古澤は、「困りました。すでに装置をつくり終えていましたし、設置する海域も決めていました。静岡県の伊豆半島です。すでに漁業関係者や行政関係者にも了解をとりつけていましたので、みんな突然のことでがっくりでした」と振り返る。

ＮＥＤＯの審査を通過できなかった理由は、高さ15ｍの津波への耐久性だった。このとき、ジャイロ発電機は、より高い発電効率を求めて浮体式ではなく、海底への着床式に設計し直していた。海底に据えつけると津波の影響をまともに受けることになる。大きな津波では耐えられないのではないかとの指摘だった。これによりＮＥＤＯからの資金補助はペンディングとなった。

古澤と神吉は日立造船ともう一社、三菱重工業と事業継続について話し合った。必要な資金は5億円程度。5億円あればＮＥＤＯの補助がなくても開発は継続できる。しかし、これ以上の開発は現状では難しいとの判断となった。2社とも海洋エネルギー開発には前向きだったが、この時点で5億を投資する環境が整っていないとの見方だった。

日本は、先ほど紹介したイギリスのように海に実証エリアが用意されているわけではない。発電試験をするには、海底ケーブルを敷設する必要があるし、データを採取する設備もいる。激しい波や海水による腐食などへの耐久性も確認しないといけない。実用化にはまだ二つも三つも山がある。

しかも、当時はその先のマーケットもよく見えていなかった。政府の海洋発電に対する具体的な導入目標があるわけでもなかった。「投資を継続するにはまだ早い」という判断に、古澤も納得せざるを得なかった。こうして2017年、開発はストップした。

見えてきた日本の弱点

古澤に、改めて当時のことを聞いた。

「残念でしたね。最後は2社ともかなり前向きに検討をしてくれましたので、結果は仕方ありません。津波への対応やさらなる発電効率のアップなどまだまだ課題が多いことは確かですから。ただ、新しいものを生み出すには、途中で必ず、誰も経験したことのない困難があります。だからこそ、その壁を最初に登り切ればそこには大きなビジネスチャンスがあるのです。日本では環境が整っていなかったということですね」

そう述べて、古澤は日本の課題について二つ語った。

「やはり中小企業でやると資金が集まりませんね。海のものとも山のものともわからない、そうしたものにお金を出そうという人が日本は少ない。当時はまだクラウドファンディングというのも知られていませんでしたから。もう一つは実験を進める環境ですね。これは公的な機関が整備しないと日本は立ち後れると感じます」

後者については、当時取材した海洋エネルギーに詳しい東京大学生産技術研究所の専門家も実用化の手前、大型化して実証実験をする段階での国の支援策が不足していると指摘する。まさに古澤らが断念したステップだ。

そして資金の問題。イギリスを取材したとき、波力発電装置をつくっている会社に数社立ち寄ったが、中にはプレハブ小屋のような事務所もあった。若い技術者らが多く、ジーンズ姿で取材に応じてくれた。大学のサークルのような印象さえあった。だが、彼らは資金は十分に集まると言う。古澤が直面した現実との差に、日本の弱点が垣間見える。最後に神吉と連絡をとった。「あのあとも発電効率のよい浮体の研究は続いています。出力向上の目処は立っています」。技術者は諦めていなかった。

進取の気性を取り戻す

2023年、資金調達の環境はどうなっているのか。少し前にベンチャー企業、ユーグレナ社の出雲《いずも》充《みつる》代表に話を聞く機会があった。

ユーグレナ社は、微細藻類ユーグレナ（和名はミドリムシ）の油脂に着目し、バイオ燃料の研究開発を行っている。「え、ミドリムシ？　あの理科の教科書で習ったミドリムシ？　それからバイオ燃料をつくる？」。そう、ミドリムシはじつは〝虫〟ではなく藻類なので、光合成で増える。

ここから燃料をつくり出そうという斬新なアイデアの実用化を目指し事業を立ち上げた出雲。現在、ミドリムシから抽出した油のほか、使用済みの油なども使って持続可能性に優れたバイオ燃料の製造・販売に取り組んでいる。まさに化石燃料に変わる新エネルギーだ。飛行機やバスなどで使う実証実験も進んでいる。

メディアでも多く紹介され、いま、日本で最も有名なベンチャー企業の一つだろう。日本政府もユーグレナ社の事業に関心を持っている。そんなユーグレナ社でも課題は資金だという。

私の問いに出雲は、「一にも二にも資金ですね。注目はしてくれるのですが、お金を出しますという企業や金融機関はなかなか出てきませんよ。事業化にまでもっていくには技術は当然ですが、それを支える資金は不可欠です。欧米に比べてまだまだ日本はベンチャーに資金が集まりませんね。どうなるのかわからない事業にそこまで踏み込めない。まあ、気持ちはわかりますが。私たちは2025年には大規模な商業プラントを建設、大量生産の体制を構築したいと思っています。私の大きな仕事は資金集めです（笑）」。

後日、ユーグレナは自動車メーカーのマツダなど国内企業4社から計約78億円の資金調達を行うと発表した。一部は将来のM&A（合併・買収）にも充当する予定だという。ただ、まだ事業化を進めるには不足しているという。

出雲は、日本は進取の気性を取り戻すことが必要だと話してくれた。

「いまやらないでどうするのか、ということです。最初にマーケットをつくる。そうすることでその後の果実は大きくなります。後追いでは果実は小さくなります。最初に挑戦すると、それだけリスクを抱えます。逆にリスクを抱えるからこそ、ファーストランナーなのです。そのリスクから逃げている限り、日本で新しいものはつくれないし、起こせない。国や大企業にはそうしたメッセージを送りたいですね」

このようにベンチャー企業などの新しい挑戦が進まないことに加えて、再生可能エネルギーに不利な状況について最後にもう一つつけ加えておく。それは電気を送る送電網のつくり方だ。

いまの日本は、大きな発電所を地方、もしくは海岸沿いにつくって、そこから大容量の送電線を都市部に引き込んで電気を供給している。また、電力市場の自由化で少しずつ変わってはきているが、10の電力会社がそれぞれの供給エリアを持ち、そのエリア内で各地域地域に配電の電線を張りめぐらしている。

効率的ではあるが、こうした送電、配電網のつくり方の弱点は、電力会社間の融通、つなぎが弱くなること。北海道電力から九州電力までをつなぐ太い送電網はあるが、もっと強化していく必要があろう。「強化」とは、線の容量を大きくすることに加え、メッシュ状に張っていくことだ。

例えばスペインは、自然エネルギーの多様な導入をこうした送電網の整備で推進しようとしている。東で風が強ければ、その風力を使い、西で日差しが強ければその太陽光の電気を使う。送電網が強ければ、その時点その時点で最適な自然エネルギーの電気を流し込んで使いやすくなる。

スペインは国全体の送電網を監視、一体的にコントロールする給電センターを設置しており、それによって周波数の乱れなども送電網の中で吸収させることが期待できるという。もちろん、自然エネルギーは天候任せ。予報が外れることもあり、課題も多いと言われるが、化石燃料からの脱却に向けては価値ある挑戦と言える。

送電網の強化、多様化は日本政府も経済産業省もよく理解していて、その方向で東日本大震災後は特に強化が進み、7兆円の整備計画の具体化を急いでいる。電力会社が、太陽光や風力発電の出力抑制をせざるを得ない現状も、こうした送電、配電のつくり方によって解決できるかもしれない。発電の仕方だけでなく、「どうやって電気を送るか」、そこもポイントになっている。

さて、ここまでは課題を中心に論じてきた。それを踏まえて、今後、私たちは生きるのに不可欠なエネルギーをどうやって確保していくべきなのか。その選択肢と方向性について、終章でジャーナリストの池上彰さんを迎えて議論したい。

終章　特別鼎談

日本のエネルギー政策をどうすべきか

ジャーナリスト　池上　彰
水野倫之
山崎淑行

解説の現場から見えてきた教訓

山崎　ここからは課題を踏まえてどうしていくべきかについて、ジャーナリストの池上彰さんにも加わってもらって議論したいと思います。よろしくお願いします。

池上　よろしくお願いします。

山崎　池上さんは、私たちのNHKの先輩でもあります。福島第一原発事故を受けて、民放のテレビでわかりやすい解説をされていました。

池上　はい。2005年にNHKを退職して、民放からもお呼びが掛かるようになったわけですが、あまりにも忙しくなって、2010年に「来年3月をもってテレビやラジオのレギュラーはやりません」と宣言しました。それでちょうどヒマになり始めた時期に起こったのが、あの事故だったんです。連日NHKの番組でお二人の解説も見ていましたよ。私もほどなくして、民放の特番に駆り出されました。その後も出演を引き受けているうちにテレビを辞めるわけにもいかなくなった。

山崎　あの事故は解説者・池上彰にとってもテレビにカムバックするきっかけとなったんですね。知りませんでした。振り返られて、伝えることの難しさをどう感じられましたか。

池上　原発の構造や事故の原因などは専門的で難しいですから、一般の人には何だかよくわからない。番組制作側も知識がないものだから、司会者や出演者にうっかりコメントさせることもできない。専門家に難しい話を聞いて、そのまま「はい、ありがとうございました」で終わってしまう。そこからさらにわかりやすく視聴者に伝えるということがなかなかできなかった。たとえば「ベクレル」だとか、「シーベルト」だとかの放射線の単位も、初めて聞いた人が大半だった。

池上彰（いけがみ・あきら）
1950年、長野県生まれ。慶應義塾大学を卒業後、NHKで記者やキャスターを歴任、94年より11年間「週刊こどもニュース」でお父さん役を務める。2005年に独立。現在は、名城大学教授、東京工業大学特命教授、東京大学客員教授、立教大学客員教授など。『おとなの教養』シリーズ（NHK出版新書）、『伝える力』（PHPビジネス新書）などベストセラー多数。

我々の世代は「キュリー」で教わったから、いきなり言われたって、その数字が持つ意味まではわからない。事故の直後はそういう部分をきちんと解説する知識を身につける時間もないまま報道しなければならない側面がありました。

一視聴者にとってはすごく欲求不満にならざるを得ない状況だったと言えますね。

水野　私が一番心掛けたのは、放射線と放射性物質、外部被ばくと内部被ばくの違い、そして放射線の人体への影響を正確に、わかりやすく伝えることでした。視聴者は、放射線は怖いというイメージは持っていても、外から浴びた場合と放射性物質を体の中に取り込んだ場合の影響の違いや、どれだけ浴びたらどのような影響が出るかまで知っている人は少ないと思ったからです。

そしてもう一点は、全体として何が起きているかをわかってもらうことでした。当時は電源がなくなったり、蒸気が昇ったりと様々なことが起きていたわけですが、あまり細かいことばかりにとらわれて、木を見て森を見ない状況ではよくないと思い、節目節目でスリーマイルやチョルノービリ級のことが起きていると明確に指摘しました。

山崎　私もわかりやすい解説を心掛けたつもりでしたが、それでも「わからない」という声をいただきました。専門的に正確な事実から逸脱せずに、詳しく知らない一般の人にわかりやすく意訳し、かみ砕くことの難しさにかなり頭を抱えました。

池上　日本は文系と理系が完全に分かれてしまっていますからね。結局、あの事故後に私が民放の特番に呼ばれたのも、理系と文系をつなぐ役目が必要だったからだとも言えますね。

山崎　そうですね。そして、難しい言葉を使わずに伝えることの難しさに加え、確かな情報が入らない点も解説を難しくしていたと思います。

本章でも書きましたが、忘れもしないのは、事故の2日目の夕方、スタジオで野村正育アナウンサーと現状を解説していたときに突然、骨組みだけになっている1号機の写真が持ち込まれ、解説してくれと。ほかの情報は何もなし。報道に携わる者が何かを語るときは根拠が必要です。そう教えられてきましたし、NHKは特に公共放送としてその思いは強いと思います。しかし目の前には写真のみ。そこから推察できる最悪の事態はチョルノービリ原発事故でした。

もしそうなら住民らの急性の放射線障害を心配しました。外にいる人は屋内に、また、そのときの政府の退避指示よりもさらに先に逃げる必要性にも言及したのはそのためです。事故後、NHKの解説スタイルも変わりましたが、あのときはそれ以前のスタイル、発表や会見の内容やその背景の紐解くスタイルの解説でしたから、そこから逸脱してしまったと内心ヒヤヒヤでした。その後、水野さんにも加わってもらい朝夕交代で務めるようになって助かりましたが、水野さんがおそらく大変だったのが、原子炉内部のデータがほとんど入手できない中、「燃料の破損」という表現にとどめるのか、「メルトダウン」という言葉を使うのか、だったと思います。

池上 「これはメルトダウンです」と、最初に言ったのは確か水野さんだったのでは。あれを言ったあとに水野さんが画面に映らなくなって、「政府の圧力で降ろされた」という説も出たけれども……。

水野 それはないです(笑)。局内でも心配されましたけど、むしろ圧力があっても屈するなという雰囲気でした。

池上 あなたが再び画面に映ったときは、NHKの解説者は物事をちゃんと理解して自分の考えを述べることができるんだと思って、私も安心した(笑)。

水野 私も文系なんですが、「原発は水がない状態では2時間もすればメルトダウンする」というのは、教科書の1ページ目に書いてあるようなことだと、原子力関連の取材を始めて、現場の技術者たちから最初に教わりました。それで、少しずつわかってきた事故の状況と、メーカーの技術者などにあらためて取材をした結果から判断して「メルトダウン」しているのは間違いないと思っていました。

池上 取材の蓄積があったからこそ解説できたわけだよね。

山崎 そうですね。ただ、取材の根拠を持って言ったとしても、あの未曾有《みぞう》の事故の最中、誤解されたり意図がうまく伝わらなかったりしたケースはお二人はなかったですか。心配する人にはどんな情報もネガティブに受け取られてしまう。例えば、土の中からプルトニウムが検出されたという未確認の情報が出てきたとき、「仮に検出されたとしても、それが原発事故に由来するものかどうかはわからない」と解説したことが初期にあったんです。

池上 1964年の東京オリンピックの最中に、中国が初の大気圏内核実験をしたんだよね。その直後に偏西風に乗って放射性物質が日本にも流れて来たことがあった。

水野 当時、雨に当たると髪の毛が抜けると親から言われましたよね。

山崎 はい。米ソも含め核保有国が過去に大気圏内で核実験を繰り返したことで、放射性物質が成層圏まで上昇し世界中に散らばっているという事実があります。レベルは低いですが昭和の時代に降った放射性物質は土壌にはまだ含まれているわけです。プルトニウムが検出されたからといって、それをただちに福島原発のものと結びつけるのはもう少し検証が必要だとの趣旨だったんですが、そういう指摘をすると、「あの解説者は国から金をもらって重要な情報を隠している」とネットなどで書かれもしましたね。もちろん、水野さんと同じで一銭ももらっていません(笑)。

池上 「だからマスゴミなんだ」という批判が出てくるわけだ。

水野　私も「ＮＨＫは本当は全部知っているんでしょう?」と言われたことが結構あります。政府に都合のいい話だけを我々が伝えていると思っている人が少なからずいたんです。冗談じゃない、と。政府や東電の発表が二転三転する中で、現状を伝えるのにどれだけ苦労したか。

山崎　国や東電が情報を隠していると思った人がいたことはよく理解できます。私たちも常に隠ぺいを疑って取材を続けていましたから。ただ、あの事故の情報不足の最大の要因は、政府もきちんと情報を把握できていなかったことです。これはこれで大きな問題で、危機管理としてはアウトです。緊急時ほど判断のために情報が必要になる。それが当時の政府、官僚、そして電力関係者はできなかった。結果、菅直人《かんなおと》総理もしびれをきらして原発に直接行ってしまったわけです。それでさらに混乱した。情報不足による猜疑《さいぎ》心と不信感の負の連鎖が起きていました。もっとやり方はあったわけで、例えば唯一、原発と詳細な情報が交換できた東電のテレビ会議システムを官邸にもつなぐなどしていたら初期の対応は変わっていた気がします。

池上　国民は事実を知りたがっているのに、伝える役割を負うメディアにも情報がきちんと入ってこなかった。一方で、伝える私たちの側にも「わからない」とは言いたくないという変なプライドがあって、わかることだけを伝えますという姿勢でこれまでやってきた。それが、逆にもっと知りたいと思っている視聴者からは「何か隠しているんじゃないか」という疑念につながってしまったと。根拠のあることだけを伝えた結果が、「政府の手先」みたいな印象になってしまったんでしょうね。

水野 池上さんは、それこそ「週刊こどもニュース」のころからいろいろなテーマを解説してきたわけですが、十分な情報がなくて苦労することもあったのではないですか。

池上 「週刊こどもニュース」の前に、夕方6時の時間帯の首都圏のニュースをやっていたことがあるんですよ。ある殺人事件が起きて、警視庁記者クラブの記者と中継をつないで話をするための事前打ち合わせのときでした。私が「いったい何でこんなことが起きたんでしょうか？」と本番で聞きたいと言ったら、警視庁クラブの記者が「そんなバカな質問をするな、それを警視庁は捜査しているんだ」と言うんです。

だけど、視聴者は捜査中だという情報であっても「知りたい」わけですね。だから「いま警視庁が捜査しています」という情報を伝えるために、私はあえて番組中に「バカな質問」をした。つまり、「いまわかっているのはここまでです」とはっきりさせることも、視聴者に納得してもらうためには重要ということです。

水野　なるほど。私もアナウンサーと掛け合いをしながら解説することがあるんですが、事前に「これを聞いてもいいですか?」と言われて、情報がまったくないときは「それはちょっと待って」と言ったこともありました。でも、わからないときは「情報がありません」と言えばいいんですね。

池上　NHKの記者解説って、アナウンサーが勝手な質問をしないですよね。松平(定知)アナウンサーなんかは、聞かないでくれというのを放送中にあえて聞いてしまうのがスタイルだったわけだけど(笑)。

水野　じつはアナウンサーが聞きたいと言うことって、視聴者の素朴な疑問だったりするんですよね。

池上　そこなんですよ。だから「バカなことを聞くな」じゃなくて、その疑問に対して「残念ながらいまのところ情報がありません」とか、「これから調べなければいけません」とか、エクスキューズしながら伝えたほうがいい。私が民放の番組でスタジオにいるタレントさんたちに必ず伝えておくのは、「何でも聞いてください、ただし、わからないことはわからないと言います」ということ。「何でも知っています」という態度は一見頼もしいかもしれないけど、「いや、そこは私にはわかりません」と言えることのほうが、最終的な信頼感につながる気がします。

水野　確かに物事の全体像を伝えようと思っても、どうしたってわからない部分は残ってしまう。そこに触れないようにしているから、見ている人を不安にさせてしまうのかもしれない。

山崎　お二人の話に納得します。わからないことを前提に、「まだ確定ではありませんが」などと前置きし、そのうえでリスクA、B、Cを伝えるべきだったと。被ばくリスクの伝え方もそうでした。危機のレベルによって、どのリスクを取るか選択は変わります。チョルノービリの事故のように爆発で原子炉がむき出しになってしまうと、少々の被ばくリスクは覚悟して急性障害を回避するため一目散に逃げるべきでしょう。しかし、1号機の爆発は屋上部で、原子炉は露出していなかった。

となると、急いで逃げて逆に渋滞やパニックに巻き込まれ、高齢者など弱者に関連死を出すリスクを検討する余地が出てくる。急いで逃げるより線量を見極めて順次避難するという選択肢も浮上する。こうした局面局面の解説の中で、被ばくリスクの大小をレントゲンなどと線量比較して説明しましたが、「事態を小さく見せようとしている」などとも言われました。もっとリスクを場合に分けて説明すれば、こうした誤解は減らせたと自戒します。反省点も多かった。

池上　そうですね。でも、お二人は本書で「いまこういう課題があります」と整理して伝えているわけですから。こうしたことが、議論を前に進めるきっかけになるんだと思いますよ。

原発回帰、まずは何をすべきなのか

山崎　ここからはこの本のテーマでもある「原発回帰」についてまず池上さんの意見をうかがいたいのですが、池上さんは率直にどう思われますか？

池上　福島第一原発の事故現場には私も2回入っているんです。1回目はタイベックスの防護服を着て入ったし、2回目は防護服は着なかったけれども、内部被ばくしなかったか検査をされました。放射線測定器の「ピッ、ピッ」という音を聞きながら、「自分はいま放射線を浴びているんだな」と、事の重大さを肌で感じたのを鮮明に覚えています。

そのころには、もう原発推進を続けるのは厳しいよね、というのがある程度、世界的なコンセンサスになっていて、ドイツのメルケル首相（当時）が脱原発へと舵を切ったのも話題になりました。そのとき、メルケル首相がなんと言っていたか。「日本人ですらコントロールできないものを私たちがやれるはずがない」と言ったんですよ。それだけ国際社会に衝撃を与えた事故だったにもかかわらず、「喉元過ぎれば熱さを忘れ」で原発回帰というのでは、あのときの反省は何だったのかと思わざるをえません。

山崎　水野さんはいかがですか。

水野　収束宣言は早々と出ましたが、廃炉の方法とか、原子力政策をどう変えていくかとか、再生可能エネルギーの将来像とか……、私は10年もすればある程度の道筋は示されるだろうと思っていたんですが、ずっとあいまいにされてきました。みんなの記憶がだんだん薄れていたところにエネルギー危機があったものだから、一気に回帰しましょうと言い出した印象が強いです。

池上　たとえばドイツみたいに、「とにかくやめるんだ」という大原則を打ち出した上で、いま運転しているものはある程度の年数が経ったらやめる、というように「そのためにはどうしたらいいのか」を考えていかなければいけなかった。日本はなんとなくいまのままで、できるものならズルズルとやっていきたいという感じがしてしまいますね。

山崎　私は、第2章にも書きましたが、原子力業界が果たして変われているのか、ということを大変心配しています。福島の事故のあと、規制当局は経済産業省から独立し、厳しい規制基準をつくりました。非常用発電機などバックアップの装置も多重に用意しました。しかし、使うのは人間であり、組織です。最高レベルの安全が求められる原発は特別です。業界が変わらなければ必ず次も同じことが起こります。

池上 そこは読んでいて重要な指摘だと思いました。電力会社とメーカー、そして経済産業省や地元などの三竦《すく》みの構図の中で、ある種の忖度だったり、遠慮だったり、あるいは権力争いがあったりして、結果、にっちもさっちもいかなくなっているケースは原子力業界だけでなく、ほかの様々な業界でも起きているんじゃないかと。

水野 私はやはり課題を先送りする体質があると思います。核のごみの箇所で紹介したように、ヨーロッパは早くから廃棄物の課題に取り組んだが、日本は先送りにしてきた。そして今回も、積み残しの課題が溜まっているのに、電力危機やエネルギー危機のタイミングを逃したくないという思いがあったのでしょうが、また先送りしてしまった。この先送り体質を何とかしないと、課題を直視するようにしないと、いずれ限界が来ると思います。

池上 うがった見方をすれば、「このままでは電気料金が高くなりますよ」「大停電が起きてもいいんですか?」といった論調も、もしかすると再び原発に回帰するために、業界ぐるみでそういう世論を形成しようとしているんじゃないか……。それは原子力業界に不透明なところがあるから、国民の不信感がぬぐえないということだと思いますね。業界の透明性を高める必要があると言えます。

山崎　透明性についてはずっと指摘され続けていますが、本当に求められることですね。

本書では政府の核燃料サイクル政策についても触れましたがこれについて、池上さんはどう思われますか。

「福島の事故の教訓を忘れてはいけない」（水野）

池上　旧動燃（現ＪＡＥＡ）が開発した高速増殖炉もんじゅがトラブル続きでダメになり、その処理にも莫大なお金がかかっているわけですけど……、水野さん、詳しいですよね。「週刊こどもニュース」の1回目で取り上げたときに、事前に「この説明でいいか？」と相談したのは水野さんでしたからね。

水野　何を説明したか、よく覚えていないんですが（笑）、もんじゅは実用化の前の原型炉で、実験炉の次の段階にある原子炉です。発電性能を確認したり、大型化のための技術的な評価をしたりします。だから、発電しただけで実用化はされていません。

池上 そのもんじゅも相次ぐトラブルや不祥事、耐震性やコストの問題もあり、政府がその開発を止めた。プルトニウムの利用をプルサーマル方式に移行するも、ほとんど進展していないですよね。そんなできそうもないことに、なぜいまだにこだわっているのかと考えると、政治の闇の一端が見えてくる気がするんですよ。

再処理の目処も立たないプルトニウムを大量に保有しているということは、裏を返せば日本はいつでも核兵器をつくる能力を維持している、ということになります。もちろん、現時点では核兵器はつくらないという政策になっています。でも、その気になればいつでもつくれるわけで……。さらに、先ごろの新型ロケットのH3の打ち上げは失敗したけれども、H2Aなどの国産ロケットはあって、そこに核爆弾を積めばICBM（大陸間弾道ミサイル）になる。そうすると日本は核兵器を開発する能力を維持するために、あえていまの形でプルトニウムを大量に持ち続けているんだ、という見方を国際社会からされなくもないんです。

では、日本に核兵器をつくる技術が本当にあるのかというと、これについてはかなり前に政府が密かに研究したことがあったと言われています。それによると、茨城県東海村の原子炉から出てくるプルトニウムを使えば核兵器の製造は可能だけれども、国内の反対運動や諸外国の反発を考えると得策ではないからやらないほうがいい、という結論だったということなんです。

そんな研究を極秘にやっていたくらいですから、核燃料サイクル政策をあえて続けるのはプルトニウムを持っていたいからだ、という疑念が消えないのは当然でしょう。

水野　官僚に取材をすると、「核兵器開発の潜在的能力を維持するため」という言い方はしなくても、技術的な優位性、つまりプルトニウムを扱える技術があると諸外国にアピールできる、というようなことを言う人は少なくないですね。

だから、もんじゅも「失敗」とは言わない。なぜうまくいかなかったのかという検証も十分でないまま、高速炉が今回の新型革新炉の一つとして挙げられている。失敗で手痛い思いをしているのにもかかわらず。

池上　別の見方をすると、核燃料サイクルで新しい燃料棒がつくれますと言っているうちは、使用済み核燃料が「資産」になるわけですよね。ところが、核燃料サイクルをやめますと言ったとたん、使用済み核燃料はごみになって、国は莫大な「負債」を抱えることになる。

山崎　お二人の話からも様々な点で行き詰まりを見せていることを感じますが、この核燃料サイクルの政策をどうしたらいいかを少し議論させてください。池上さん、無茶な質問かもしれませんが、もし池上さんがいま総理大臣だったら、どうしますか？

池上　ものすごく難しい質問ですね（笑）。少し海外の話をしますと、フィンランドでは再処理をせずに、ワンス・スルー政策、つまり1回使った核燃料からプルトニウムは取り出さず、そのまま直接処分で処理する方針です。最終処分場のオンカロを私も取材しました。そのとき、受け入れた地元の町長さんに「国から補助金は出たんですか？」と、ついつい日本人的な発想で質問したら、「そんなものは出ません」と言われた。これまでフィンランドは原子力発電によって豊かな生活を享受してきたのだから、国民には使用済みのごみを処理する責任がある、だから受け入れたんだ、と言うんです。この言葉を聞いて、フィンランドは原子力発電をする資格がある国だなと思いました。

もちろん地下施設のオンカロが、本当に安定した地盤の中にあって、地下水も非常に少ないから10万年後も大丈夫なんだ、というのは大きい。では、それに引き換え日本はどうか。そもそもそんな場所すらありません。どこを掘っても地下水がいっぱいだし、マグマ

JAEAの茨城県東海村の施設にある核変換の実験装置の1つ（写真提供：JAEA）

もある。つまり、日本はごみを再処理もできなければ、埋めることもできない。だとしたら、せめてこれ以上増やさないということを考えなければいけない。それが現時点でのベターアンサーということになるでしょうね。そして、この先も示された課題が何も解決されないのであれば、未来に大きな負債を残すことになるわけです。やはり断念を含め、どこかで決断しないといけないですね。

山崎　確かに政策を変えるとなるとそれに伴うコストが発生します。誰も責任をとりたくないし、決断もしたくないんでしょうね。ただ、ずるずる先延ばしするとそれも莫大なコストをともなう。日本もワンス・スルー政策について、経産省がコストなどを計算して公表し、選択肢として示したことがあります。ただ、議論はまったくひろがらないままでした。一部の政治家は言及していますが、国会で取り上げるなどして、官僚に任せず政治家がもっと主導して比較検討などの議論を喚起する必要があると思います。結局、国民に権力を託された政権が議論を尽くして判断しないと何も変わらない。政治家の政策立案能力と、決断する勇気がこれまで以上に求められます。

私からもう一つの提言をさせてください。技術の活用についてです。核のごみを減らす技術も研究されているんです。「核変換技術」と言います。高速で中性子をぶつけて人為的にどんどん核分裂を起こさせると、例えば数万年は有害とされる期間を、数百年にまで短くすることが可能になる技術です。核燃料サイクルにしてもワンス・スルーにしても、放射性廃棄物は出ますが処分場を小さくすることができます。ずっと「トイレなきマンション」と揶揄されているのだったら、トイレ問題に技術で向き合うべきです。

そうすれば原子力のイメージも変わるでしょう。日本が本腰を入れて、核変換技術を実用化したら、「核のごみを減らせますよ」と世界中で商売になる。困っている国はたくさんありますから。残念ながら、こうした発想は少数派です。硬直化した業界だから「新しいアイデアを出しても身内で潰される」と、技術者からこっそり聞かされたこともありま

東海第二原発の乾式貯蔵施設。後ろに並ぶのが乾式貯蔵用の容器

す。そうした新発想を評価する方向に業界の文化を変えていくことをもっと考えてほしい。

水野　技術という視点でいうと、使用済み核燃料の保管方法についてもそうです。大量の使用済み核燃料がいまも冷却のために水を張ったプールに保管されている。保管方法は事故のあった12年前から基本的に変わっていなくて、平均すると全国の原発のプールのスペースの8割くらいは使用済み核燃料で埋まっている。何がリスクかというと福島の事故のときに示されたのですが、プールの水が減ったり、電源を失って水を循環できなくなったりすると、核燃料を冷やせなくなりメルトダウンするおそれがあります。あのとき、そうなっていたら、首都圏の人たちを含めた250万人が避難しなければならないというシナリオもありま

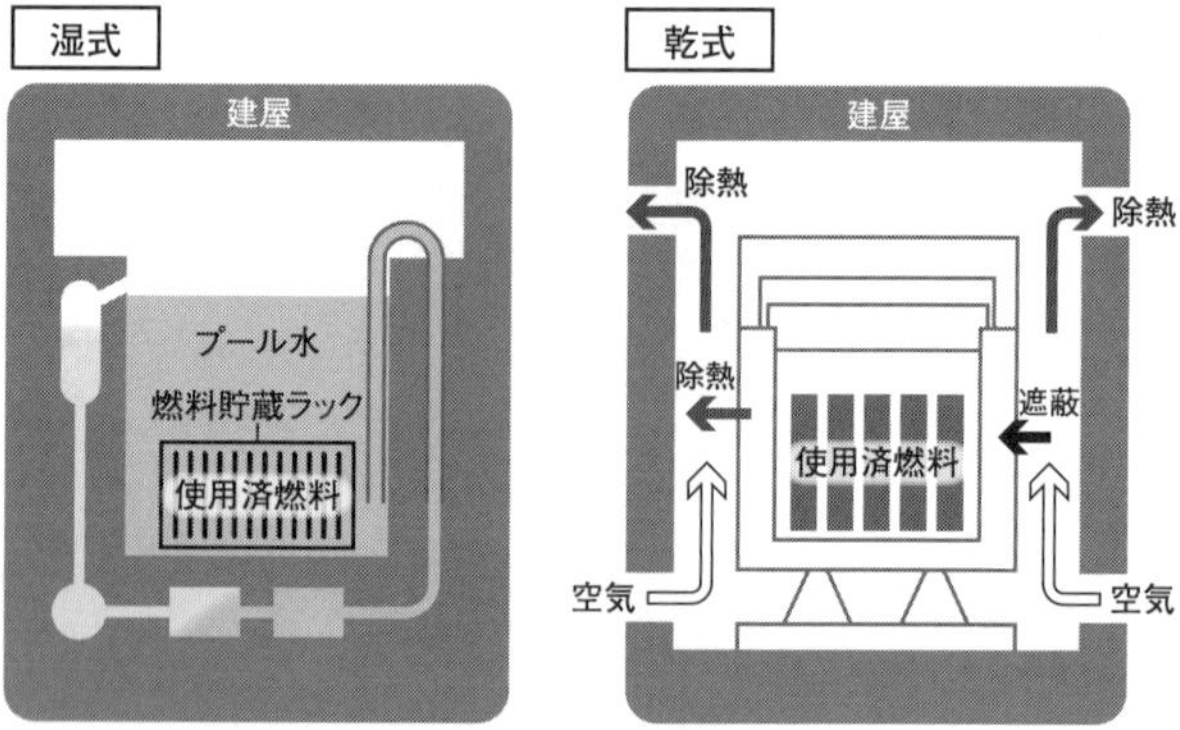

「湿式（水冷式）貯蔵」と「乾式（空冷式）貯蔵」の違い（出典：経済産業省）

した。

じつは、使用済み核燃料をプールで保管しないで、特殊な容器に入れて熱を空気中に放出する「乾式貯蔵」という方法もあるんですよ。まだ、一部にとどまっていますが、技術という点ではそうした活用が大事です。

池上　水冷式ではなく、空冷式という方法ですね。

水野　そうです。プールで保管する場合、水を循環させて放熱するので電気が必要ですが、乾式だとそれがいりません。「電力が供給できなくなったらどうするのか？」というのは福島原発事故の大きな教訓だったはずなのに、12年経っても大量の使用済み核燃料がプールに沈められている状況が続いている。

山崎　乾式貯蔵は安全性が高まりますよね。もっとひろがってほしい。

水野　進まない大きな理由は、先ほど池上さんがおっしゃっていたように、使用済み核燃料を「資産」と位置づけている面が大きいと思います。直接処分を導入して、乾式貯蔵に切り替えると、いずれは六ヶ所村の再処理工場に持っていって再利用しますという前提が崩れ、資産ではないごみを置かれては困る、となってしまう。

実際、事故直後に民主党政権が再処理を見直すと言ったとき、それができなかった一番大きな理由が六ヶ所村のある青森県の猛反発でした。再処理をやめるなら使用済み核燃料を返すという話になり、それで民主党も見直しを断念したという経緯があります。

池上　そうでしたね。

水野　私は初任地が青森で、六ヶ所村の再処理工場は建設当初から取材をしてきたんですが、地元にはなかなか複雑な思いがあるんです。再処理工場は1993年に着工したものの、竣工の延期が繰り返されて、2022年9月に26回目の延期が発表されました。

でも、いまだ完成しない再処理工場が何もしていないかというと、そうではない。耐震補強工事や、新基準に適応するための工事などをやっていて、いまも1日3000〜4000人の人たちが働いているんですよ。近くのコンビニでは弁当が次から次へと売れていて、工場のおかげで地元の経済は確かに潤っている。

池上　自治体にとっては大きな経済的影響があると。

水野　一方で、26回目の延期が決まったとき、知事はかなり痛烈な言葉で国を批判していました。これまで青森県は、あえて強い表現を使えば、「国に騙され続けた」経験があります。1969年に国の開発計画が示されたときも、今回も。

池上　新全総ですね。第2次全国総合開発計画。

水野　いまの六ヶ所村のあたりに巨大な石油化学コンビナートをつくると言われ、住民に移転してもらうなどしたにもかかわらず、オイルショックの影響もあって計画は頓挫しました。結局、石油備蓄基地だけはできましたが、青森県にしてみれば土地を用意して待っていたのに、来ると言われていたものが来なかったわけです。

その後も、例えば東北新幹線が盛岡止まりになったりして、なかなか青森まで来なかった。国の「やります」という言葉に騙され続けてきたという思いが、青森県にはある。もちろん計画に反対する市民の声もありますが、まさか再処理をやめるなんて言わないでしょうねと、青森県が反発するのは当然。そういう複雑な事情も絡み合っているだけに、国としてもおいそれとは直接処分に方向転換はできない面もあると思います。

池上　六ヶ所村の再処理工場に関しては、あくまでも中間処理であって、そこを最終処分場にはしませんよと国は約束していますね。ところが、中間というのがいったいどれくらいの期間を指すのかという定義がない。極端なことを言えば、放射性物質の半減期よりも短ければ、数千年であっても中間処理の期間になってしまうのではないか――。そういう疑心暗鬼もある。

水野　日本で一番原発が多いのは福井県ですが、いま知事はとにかく使用済み核燃料を県外に持って行ってくれと要求していて、関西電力が頭を抱えています。福井県としては、発電は約束したけれども、使用済み核燃料の保管までは約束していないという立場で、この問題が今年中に解決しなければ、関電は原発を止めるとまで言っています。それくらい使用済み核燃料の扱いは自治体にとっても簡単な問題ではない、ということです。

山崎　お二人の話を聞いていると改めて、立場の違う多数のプレーヤーが利権や権益などで複雑に絡み合い、思うように前に進まなくなっている実態を感じます。勇気をもって政策や制度にメスを入れることが本当に必要ですよね。メリット、デメリットを国民の前にさらして、どうするべきか、と。池上さんがおっしゃったようにベストでなくても〝現時点でのベターな選択〟をとっていくということが重要ではないかと思いました。

原子力業界が変わるためには

山崎　業界の体質についての話も出たので、少し深掘りさせてください。関係者は学歴も高く優秀な人も多い。なぜ、こうも政策が頓挫するのか。

池上　それで言うと、使用済み核燃料の最終処分事業を行うＮＵＭＯ（原子力発電環境整備機構）のことは第１章でも触れられていますが、職員の大半は電力会社からの出向ですよね。それだと本気にならないのでは？　人の配置、使い方を見直す必要があるかもしれませんね。

水野　だいたい２年で入れ代わってしまいますからね。一生懸命な人もいて、いろいろと情報を提供してくれたこともありましたけど、後任に代わった途端にその関係性が途絶えてしまう、ということもありました。

池上　どんなに頑張っても２年後には元の職場に戻ると決まっていたら、モチベーションは上がらないよね。なまじ一生懸命やったのが評価されて「このまま残ってくれ」と言われたら困る人もいるだろうし（笑）。出向ではない形で、ここに骨を埋めるぞという気概を持った人間が取り組まないと、原子力業界を内側から変えていくのは難しいでしょうね。

山崎　再処理事業を担当する日本原燃もそうですが関連組織では生え抜きの職員も少しず

つ増えています。ですが、やはり電力大手からの出向ポストになっている。だから、生え抜きは出世に限界があるのが実態ですよね。異動のことを言うと官僚もそうです。担当課長も審議官も、2年、3年で代わる。その間に余計なことはしませんよね、出世に響きますから。あと、みんな賢いから組織や業界の方針がよくわかってしまい、空気を読んでしまう。電力会社のエリートも経産省の官僚にしても、自治体の職員にしてもそうです。結局、関わる人たちに「悪人」はいないんですが、リスクのある大きな仕事を責任を持ってやろうという特異な人も出てこない。

池上　かつて私もJAXA（宇宙航空研究開発機構）で似たような話を聞いたことがあります。H2Aロケットが失敗したときなどです。本書でお二人が警鐘を鳴らしていることの背景にあるのは、まさにこうした日本的な組織文化論ですよね。

非常に深刻だなと感じるのは、あの事故のあと、原子力関係の学科への志願者が減っているということ。学生の間で「日本の原子力には未来がない」という雰囲気が漂っていて、要するに原子力に対する希望が失われてしまっている。

もちろん全員じゃない。私の東京工業大学での教え子に某原発メーカーに就職した学生がいて、「なんで原子力に行くの？」と聞いたら、「先生は世のため人のためになる仕事をしなさいとおっしゃったじゃないですか。これからは廃炉が大きな課題になるから、廃炉を一生懸命やる人材が必要になるでしょう？　将来的に廃炉は世界中でビジネスになると思うから、あえて僕は原子力関係の会社を選んだんです」と言うんですよ。

水野　そういう学生もいるんですね。

池上　いるんです。

山崎　頼もしいですね。業界が変わるためには、そうした新しい世代の価値観が必要かもしれません。ただ、志望学生は少ないですよね。

池上　それが問題でしょうね。原子力が日本の将来のカギを握る重要な産業なのであれば、そこに優秀な人材が行かなくなるというのは憂慮すべきこと。本来なら若い人たちがやりがいや生きがいを見出せるようなインセンティブをつくっていかなければいけないのに、「なぜそんな仕事を選ぶの？」と周囲から思われたり、家族から反対されたりするような状況では困りますよね。国として原発回帰に舵を切るのであれば、「これこそが日本の未来なんだ」というビジョンを、何らかの形で掲げる必要がある。

水野　廃炉の話で言うと、アメリカでは、それがビジネスになるということでベンチャー企業が進出し始めています。電力会社が「ここを廃炉にします」と言うと、ベンチャーが自分たちの技術で電力会社が見積もる費用よりも安く廃炉にして、その差額を得るというビジネスが成立している。だから、池上さんの教え子の話を聞いて、日本にも目のつけどころのいい学生がいるんだなと感心しました。

もちろん、いまの規制の中でアメリカと同じ方法が可能かはわかりません。でも、日本ではすでに24基の廃炉が決まっているし、この先も増えていくはずだから、電力会社がその上流から下流までを全部やるということは現実的ではない。加えて、日本的な組織文化が根づいている既存のプレーヤーたちだけでは、お金をかけず効率よく、うまく廃炉にすることは難しいでしょう。池上さんの教え子のような人材は、これから絶対に必要になるはずです。

山崎　現実問題としては、日本の原発は日立、東芝、三菱重工業の三大メーカーにノウハウが集中しているので、彼らが何らかの形で関わらざるを得ない。もっとほかのメーカーや企業が参入しやすいスキームを政府がつくったらいいのかもしれませんね。廃炉ビジネスに限らず、この業界に新しい風を入れていくことが硬直化した業界文化を変えるヒントの一つかもしれない。例えばの話ですが、ソフトバンクのような会社も参入できるくらいの仕組みを政府が整える必要があるんじゃないかと思います。

再生可能エネルギー、普及のカギは何か

山崎　続いては、原子力を含めエネルギー全体の今後について議論させてください。

池上　本書では原発の課題とともに今後のエネルギーのあり方についても言及しているわけですが、新エネルギーにも課題がいろいろある中で、原子力の代替になり得る本命は水素だという見方も強いですね。

たとえばトヨタのＭＩＲＡＩという自動車は、水素と酸素を化学反応させて発電する仕組みで、水素を使うといえども「電気自動車」なんですよね。水素社会になって、電気自動車しかつくれないということになったら、エンジンはなくなってしまう。そうなると日本の自動車業界では１００万人の雇用が失われるということで、エンジンを残すために水素を直接エンジンで燃やして走る「水素自動車」の開発を進めている。

じゃあ、水素を使うのはいいとして、問題はどうやってこの水素をつくるのかということです。水素は、電気を使わなければ取り出すことができないというネックがある。そのあたりの現状について、お二人はどう考えていますか？

山崎　池上さんが水素について触れられたことに賛同します。今後、日本が強みにするべきエネルギーの一つだと思います。水素は発電の燃料としても使えますし、電気を備蓄す

る媒体としても使えます。政府も水素には力を入れています。ただ欧米も着目しています。市場をどの国が先につくるか、ですね。そのためにはいろいろな課題を解決していく必要があります。

水野　課題の一つは水素のつくり方です。水素を「使う」ときに二酸化炭素が出なくても、水素を「つくる」とき二酸化炭素を大量に出してしまったら本末転倒です。

水素製造には何通りもあって、一般的には三種類の色に分けて呼ばれて区別されていますね。石炭や天然ガスといった化石燃料から水素をつくると、二酸化炭素を排出します。こうしてつくった水素は「グレー水素」と呼ばれます。同じ化石燃料からでもこのときに出る二酸化炭素を地中に埋めるなどして大気中に放出しないようにしてつくった水素は「ブルー水素」と呼ばれる。さらに、再生可能エネルギーを使って、二酸化炭素を排出することなくつくられた水素は「グリーン水素」という具合です。

池上　いまトヨタは、福島で再生可能エネルギーを使って水素を取り出している。これはグリーン水素ということですね。

水野　そうですね。二酸化炭素を増やさずに水素社会を目指すのであれば、現状ではそのグリーン水素が最善でしょう。であれば、再生可能エネルギーをどんどん増やして水素をつくっていくことが必要だと思います。水素はロケットの燃料などにも使われますが、福島原発で爆発事故を起こしたように扱いが非常に難しい物質なんです。運ぶだけでもたいへんなので、アンモニアに置き換えたりするわけですが、アンモニアをつくる際にも二酸化炭素が出る。だから、再エネしかないいんだけれども、そうすると「再エネをどうやって拡大していくのか?」という大きな問題に結局ぶつかってしまう。ここを乗り越えることが求められる。

池上 再エネが伸びなければ、水素社会を実現するのは簡単ではないということですね。お二人は本書の第4章で、再生可能エネルギーが伸びない理由も挙げている。そうした課題を解決しないといけないということでもありますね。

水野 そうです。太陽光発電にしても、風力発電にしても、マイナス面が強調されるようになってきているんですよ。例えば関西電力が蔵王の近くに風車を設置しようとしたら、「景観が台無しになるからダメだ」「なんで関西電力が東北まで来るんだ」と猛反発されて断念しなければならなかった。計画に反対する住民がいるのは当然で、開発する側も住民の理解が十分に得られないまま斜面を切り崩したりした事例もあるんだけれども、ここのところ知事や首長が先頭に立って反対し、開発を規制する条例をつくったりする自治体も増えてきている。大規模な再エネをつくるのがたいへんな時代になりつつあります。

山崎　２００９年に再エネ普及のための固定価格買い取り制度が導入され、普及に弾みがついたことは書きましたが、とりわけ太陽光はすごくひろがりました。このことは評価していいと思うんです。

「リスクを“想像する力”、そして挑戦する気持ちが大切ですね」（山崎）

ただ、「再エネといえば太陽光」という形になってしまって。東京都の新築住宅への太陽光パネルの義務化もそうです。太陽熱利用などにも目を向けてほしい。また、小水力やバイオマス発電にはまだまだ可能性があります。また、地熱発電は一定の規模の発電量が稼げます。複数の電源による総合的な取り組みにしていくことをもっと大胆に進める必要があります。

池上　そうですよね、地熱発電などは日本でもポテンシャルがあるのに、もう少しなんとかならないものか、と思います。以前、民放の番組でケニアの地熱発電所を取材してきたんだけれども、タービンをはじめ設備のほとんどは日本製なんですよ。アフリカの国が日本の製品を使って地熱発電をやっているのに、日本国内では地熱の利用があまり進んでいない。

水野　私もアイスランドの地熱発電所を取材したことがあります。やっぱり日本製の発電機などを使っていて、現場の技術者に話を聞くと、性能がよくて故障も少ないから、アイスランドの地熱発電所の7割くらいは日本製の設備で稼働していると言っていました。

アイスランドは日本と同じような火山国で、電力は再エネ100%なんです。地熱は発電に利用するだけでなく、発電所から20㎞くらい離れた町までパイプを通して、一般の住宅に熱い蒸気を供給するのにも使われているから、冬でも部屋の中ではみんな半袖で過ごしていました。

池上　アイスランドには私も行きました。道路の下にもパイプが通っているから、除雪の必要がない。各家庭では地熱で温めたお湯も出る。飲んでみたら微《かす》かに硫化水素の匂いがしたのを覚えています。

それと、発電所の隣りにブルーラグーンという世界最大の見事な温泉があって、一大観光地になっている。これも地熱発電所が汲み上げた熱い地下水を利用しています。で、余計な情報だけれども、アイスランドが火山地帯なのは、地下に北米プレートとユーラシアプレートが生まれる裂け目があるからなんですよ。そして、その二つのプレートが再び合体するのが日本列島の下。だから、日本でも地熱をなんとかできないのかなと前々から思っていたんです。

水野　日本の場合、温泉が全国各地にあるわけですが、地熱発電をやろうとすると、そこがネックになったりしていますね。発電所をつくって温泉が枯渇したらどうするんだと、温泉業者からの反対にあう。また、火山地帯は国立公園や国定公園の中にあることも多いから、その中で開発してはいけないという規制もある。地熱エネルギーには潜在的な魅力がいっぱいあるのに、その活用が進まないのは本当にもったいないという気がしますよ。

山崎　本当にそう思います。資源量世界第3位の地熱エネルギーを持っているわけですから。ただ、温泉関係者の理解、そして国立公園などの景観の問題はなんとか解決が必要ですね。

あと、構造的な問題になっているのが行政の縦割りです。発電は経産省で、国立公園などは環境省の管轄。経産省と環境省とにまたがっていて、計画がスムーズに進まない。

水野　2019年に秋田県の山葵沢《わさびざわ》で、国内では23年ぶりとなる地熱発電所ができました。

そこは比較的うまくいっているんですが、その理由について取材をしてわかったのは、事前に協議会のようなものをつくって、そこに温泉業者も地元住民も入って、温泉の湧出《ゆうしゅつ》量に関しても何から何まで全部測定して、開発が原因で湧出量が減ったときは発電事業者が補償しますというところまで決めてから建設に着手したということなんです。一見遠回りに見えても、反対される理由を一つひとつクリアにしながら地道に進めていくことが、再エネを拡大していく一番の近道なのかもしれません。

山崎　参考になる事例ですよね。あと付け加えると地熱発電は様々なタイプの装置が開発されています。いわゆる地下1000m、2000mまで掘って大規模に発電するものに加えて、低い温度のお湯、例えば温泉宿で使っている温度の熱水でも発電ができる小型のタイプがいろいろ開発されています。これらは温泉ホテルや地域で発電して使うことができる。

地熱発電への国の支援はその潜在性、実用性に比べてまだ弱いと言われています。アイスランドの例のように熱をそのまま使うこともできますし、ぜひ、普及に力を入れてほしい電源の一つですね。

水野　その他の再エネの可能性として、いま私が一番期待しているのがペロブスカイト太

ペロブスカイト太陽電池。軽くて曲げられる

陽電池です。新しい素材なんですが、厚みがあって重い従来のシリコン製のパネルに対して、ペロブスカイトは薄くて軽く、曲げることもできる。新しい太陽光パネル素材の中で最も有望視されていて、例えば住宅のベランダやビルの壁などに貼って発電するといった使い方も可能です。

じつはペロブスカイト太陽電池の生みの親は日本人です。2012年には、発電効率がよくなったという論文が発表されて世界中に研究が広まりました。いまペロブスカイトの研究者は世界に約3万人いると言われているんですが、その半分は中国の研究者で、日本の研究者は数百人しかいないそうです。

池上　どこかで聞いたような話ですね(笑)。

水野　そうなんですよ。シリコンの太陽光パネルも1990年代から2000年代初頭は日本が世界的に先行していたのに、国の補助がなくなったらあっという間に中国などに席巻されてしまった。ペロブスカイトが同じ道をたどるようなことはあってはならないと思います。

池上　半導体もかつては日本のお家芸とまで言われながら、いまは台湾ですよね。

水野　事業者ももちろん頑張らなければいけないんですけど、国としての戦略がきちんとしていないと技術も製品も他国に先を越されてしまうのではないかと危惧しています。

山崎　そのあたりの話は今日の議論の核心になるんじゃないかと思っていて、産業化に関して日本は戦略が欠落していると言わざるを得ません。新エネルギーで言えば、1970年代にサンシャイン計画という大規模な戦略が立てられましたよね。

池上　第一次オイルショックでエネルギー問題が浮上したのがきっかけでした。

山崎　第4章で少し触れましたが太陽光も、風力も、地熱も、海洋エネルギーも、基礎技術はサンシャイン計画で生まれたものが多いです。その延長線上で日本の太陽光パネルは世界シェア1位にもなったし、風力や地熱でも日本のメーカーが世界をリードした。いまの再エネに使われている要素技術は、日本が世界に先駆けて開発したんですよ。

ところが日本はマーケットをつくれなかった。風力発電で言えば、優秀な製品があっても国内に売り先がないからヨーロッパに売るしかなかった。そうすると、ヨーロッパの市場で地の利がある現地のメーカーが入ってきて、それをいまは中国がキャッチアップしている、という状態なんです。

水野　もう日本は風車をつくれないんですよね。国内の風力発電が全然進まないからメーカーが全部撤退してしまった。だから最近の洋上風力発電はヨーロッパの風車を輸入しているんです。故障したらヨーロッパからメーカーの技術者に来てもらわなければならなくなっている。持続的に再エネをやっていくなら、製品も人材も国内で供給できるようにしていかないと。

池上　それを言ったら、QRコードを発明したのも日本企業だけれども、中国のほうが先にキャッシュレス社会を実現してしまった。ということは、日本は研究開発や製品化、あるいは既存のものを改良するのは得意なのに、産業として育てるのが苦手で競争力を失っているわけだ。

山崎　一時期はよかったのにダメになっていくという、本当に絵に描いたようなパターンを繰り返しているのが日本の新エネルギー政策です。産業化のビジョンが弱い。いまは蓄電池が瀬戸際に立たされていると言えるかもしれません。経産省が産業化のスキームを出しているけれども、規模の面で中国にはかなわない。

水野　現状はもう抜かれています。リチウムイオンバッテリーの開発は1980年代に始まって、90年代には日本の家電メーカーが製品化し、開発者の一人である吉野彰《あきら》さんが2019年にノーベル化学賞を受賞しましたが、生産量ですでに中国や韓国に抜かれてしまいました。

山崎　日本の企業が開発した大型のバッテリーで、再エネの普及に一役買ったNAS電池のように市場をリードした製品もあるんですが、軒並み中国に負けてしまうのは、産業化に向けた中国の戦略が優れているということでしょうかね。

池上　むしろ、「何でも自由にやれ」ということでしょう。それぞれが勝手に創意工夫して金儲けをおやりなさいと。だから、中にはとんでもないものや失敗があっても、結果的にうまくいったものはどんどんやらせる。そのかわり、共産党の言うことを聞かなかったら取り締まる。

山崎　池上さんご指摘の「何でも自由にやれ」というのはポイントと言えるかもしれません。挑戦する、失敗しても挑戦する。日本企業が失っている気性につながりますね。

池上　そうそう。たとえば中国の深圳《しんせん》に行くと、まだ実験段階ではあるけれども、運転手がいない全自動のタクシーが普通に走っているんですよ。日本だったら「事故が起きたらどうするんだ？」という話になるけれども、中国では勝手にやらせる。それで、思い出すのはロボット掃除機の「ルンバ」で、あれと同じようなものを最初に考えたのは日本人だった。だけど、上司に「留守中に掃除ができます」と提案したら、「留守中に動かして出火でもしたらどうするんだ」と言われてポシャったと。

山崎　慎重に安全性を求めることは精密な製品づくりにつながるなど、よい部分もあると思いますが、一方、慎重になりすぎてしまって、杓子定規《しゃくしじょうぎ》にやりすぎてしまう。その結果、新しいものが生まれない。私たちはそうした日本的な癖《くせ》をわかって、もう少し大胆に挑戦することを大事にすべきかもしれないですね。それには失敗を否定しない評価の仕組みも必要ですね。

池上　よくベンチャーの創業者が言うのは、政府は支援をしてくれなくていい、そのかわり邪魔をしないでくれ、ということ。それが一番の規制緩和だというわけですね。それに近い開発環境が中国にはあるということでしょう。

山崎　国内に製品のマーケットがなくても、部品を海外のマーケットに売り込んで稼げばいいじゃないかという意見もあります。実際に半導体をつくる装置は日本が世界シェアの約4割を占めています。風力発電のベアリングなどの部品も日本のものが多く海外製品に使われています。

そうは言っても、日本にマーケットがないとやがてたんなる納入者に成り下がってしまい、ビジネスするときの交渉力の面でどうしても後れをとってしまいがちです。そう考えると、やはりなんらかの産業化の戦略は必要ではないかという気がします。

池上　京大・iPS細胞研究所の山中伸弥さんが、iPS細胞の医学応用は〝死の谷〟に直面していると新聞に寄稿していましたよね。日本には優秀な研究者がたくさんいるけれども、研究とビジネスの間には〝死の谷〟という大きなギャップがあって、そこに落ちてしまう研究がたくさんあるんだと。まさに産業化という局面が、研究者にとっても大きな課題であると指摘しているわけです。

以前、その話を私は山中さんから直接聞いたことがあるんですよ。〝死の谷〟を渡ったあとには〝ダーウィンの海〟があって、今度は激しい競争にさらされる、という話でした。

そのときに山中さんが悔しそうに話していたのがｍＲＮＡワクチン。ファイザーとモデルナが製品化したけれども、じつは日本でもiPS細胞の研究の過程でｍＲＮＡの研究も行われていたんです。最初は国から研究費が出ていたんだけれども、それが突然打ち切られて、ここから先はどこかの製薬会社から資金を出してもらえと言われてしまったと。まさか新型コロナウイルスが世界中にひろがることなんて誰も想像していなかったから、結局どこからも資金を出してもらえず、mRNAの研究は止まってしまったんですね。もしも〝死の谷〟の淵《ふち》で、どこかがお金を出していれば、日本製のmRNAワクチンがつくられていたかもしれない。

山崎　まさに第4章の波力発電の開発史で触れた課題ですよね。太陽光に加えてようやく洋上風力が台頭してきましたが、まだまだ使える再エネがあります。実用化を意識した技術開発への支援強化。そしてマーケット化のビジョンをもっと明確に打ち出すことが必要になりそうですね。〝死の谷〟を渡り、〝ダーウィンの海〟を進めるように。

「電力の地産地消」が求められている

池上　これは素朴な疑問なんですけど、数年前に九州電力で、太陽光発電のしすぎで出力制御を実施したことがありましたよね。こういうニュースに触れると、正直、何をやっているんだと思うわけですよ。原発のあり方や再エネの行方を問うのも大事なことだけれども、それだけじゃないでしょうと。もっとほかにも議論すべき根本的な問題があるのではないか。そう感じている一般の人も多いと思うんです。そもそも送電網はいまのままでいいのか、それも問題提起したいですね。

水野　送電線整備にかかっているお金は莫大な額ですよね。池上さんがおっしゃった電気のつくりすぎの問題は、東北や北海道の洋上風力発電でも同じような状況があって、電力が余るならそれを首都圏で使うことが検討されています。ところが電気を運ぶ送電線がなくて、全国で整備したらどれくらいコストがかかるかというと、6兆円か7兆円かかるというんですね。

山崎　送電網については、再エネを進めようとするときにセットで考えなければならない問題です。第4章の最後で国全体で送電網を強くする必要性に触れましたが、もう一つ、地域地域で発電して、そこでそのまま消費する送電、配電網の整備も同時に考える時代だと思っています。

ただ、経産省や電力会社は、地方でつくった大量の電力を都市部の大消費地に大容量の送電線で流し込むというのが基本的な考え方で、そのほうが効率がいいのは確かです。しかし、その送電網の前提のために再エネの普及は遅れているし、新たな発電事業者が参入しにくくなっているのも事実なので、これからは地域単位で送電・配電網を整備することを強化していく必要があるのではないかと思います。じつは、地域地域に独立していると、軍事攻撃にも強い。一気に広範囲はやられませんから。

池上　つまりは〝電力の地産地消〟ということですね。

山崎　そういうことですね。この話をすると、多くの人は賛同してくれると思うんですよ。ただし、一つだけ私たち国民が受け入れなければいけないことがある。それは「電力の品質」についてです。いまの日本の電力は世界最高の品質なんです。停電が年間に5分とか10分とか、こんな国は珍しい。

池上　東南アジアへ行けば停電はしょっちゅう起こるし、ヨーロッパでも停電は珍しくないですね。

山崎　地域を基準に送電網を整備して、現在の高品質な電力供給を維持しようとすると、そこに参入する新電力会社は東電や関電並みの投資をしなければならないんですよ。少しおおらかな気持ちでクオリティーを見てあげる必要がある。極端なことを言えば、「たまには停電しても、まあ、いいか」くらいの気持ちでいないと、ということです。理想だけで議論していても前には進みませんから。

水野　それに関しては「デマンド・レスポンス」をいかに広めていくかも大事ですよね。電力不足といっても、丸一日足りないわけではない。一定の時間帯に電気の使用が集中しなければいいわけです。いままでは発電する側が消費者の生活様式に合わせていたけれども、消費者の側が発電能力に合わせて行動するといったデマンド・レスポンスを進めつつ、送電網を整備するという発想が必要になってくると思います。

池上　私が小学生のころは、停電は日常茶飯事で、どこの家庭でもロウソクと懐中電灯は用意してありました。その時代に戻れとまでは言わないけど、そういう意識があったほうが、いざ停電になったときでもある程度冷静に動けるかもしれません。

水野　２０１８年に北海道で全域停電がありましたよね？

池上　北海道胆振《いぶり》東部地震のあとですね、ブラックアウトしました。

水野　あのとき家の中で発電機を使ってしまい、一酸化炭素中毒で何人かが亡くなる痛ましい出来事がありました。停電しないのが当たり前になってしまうと、いざ災害が起こったときに弱さが露呈《ろてい》してしまうリスクがあります。

山崎　地域によってそれぞれ得意な自然エネルギーがありますよね。水が多い自治体は小水力ができるし、風がよく吹く自治体は風力をする。家や事業所レベルで使う小型風力発電器なんていうものもあります。

そうした再エネのベストミックスを踏まえてグリッドを張りめぐらせることが、デマンド・レスポンスに対応するうえでポイントなのではないかと思います。太陽光ばかりに頼っていると、さらに山を切り崩して、自然エネルギーと言いながら自然のバランスを崩してしまうことにもなりかねない。

池上　いまの提言は、突き詰めれば中央集権型の国の形を変えていくことにもつながる話ですね。昔は電力会社は一社だった。戦後、それを九つの会社に分けたけれども、もっと細分化して、それぞれの地域が〝エネルギーの自給自足〟ができるようなインフラをたくさんつくっていくと。そうすれば結果として、災害に強い国づくりができるのではないか、という気がします。

その意味では、エネルギー危機や原発回帰というのはネガティブな要素だけでなく、自分が暮らしている国や地域のエネルギー問題に私たち一人ひとりが目を向けるきっかけでもある。さらに言うと、日本のエネルギーの行方がこれまで以上に身近なものとして意識されるようになっていけば、日本社会が抱えるその他の多くの問題を解決する糸口を見いだすことも期待できるのではないかという気がします。

水野・山崎　見事にまとめていただきました。今日はお忙しい中、どうもありがとうございました。

（2023年4月2日収録、撮影・佐藤克秋）

おわりに

原発に頼るか、頼らないか。福島の事故後10年あまり、「推進」と「反対」が世論を二分してきました。

しかし、最も不幸だったのはお互いがひざをつき合わせて、それぞれの言うことに耳を傾け議論し合い、課題を解決するために何が必要かを探る、長期的な議論の場がほとんどなかったことです。

もちろん今回の政府方針決定にあたって国の審議会で検討はされましたが、例えば原案が決められた経産省の原子力小委員会は21人の委員のうち、原発反対の委員は2人しかいませんでした。人数配分が偏っているうえに、委員がそれぞれの意見を述べるだけで、あとは政府側が引き取って政策を決めていく。委員同士の徹底した議論が行われる場にはなっていません。

推進側は推進側だけでかたまって原発の必要性を訴え、反対派は反対する専門家を呼んで問題点を指摘する。お互いの接点がないため、こうした状況はなかなか変わらない。これが事故後の10年ではなかったでしょうか。

これまで述べてきたように、原子力には積み残しとなっている課題が多々あります。いまこそ、「推進」も「反対」も、そして一般市民も集まり、課題解決のための徹底した議論を行い、方向性を見いだしていかなければならないと思います。

そうでなければ課題がより複雑化して解決困難なものとなり、次世代に先送りされ続けることになります。そして、期待される再生可能エネルギーも長所と短所があります。どう長所を生かすのか。どう短所を克服するのか。そうした工夫と制度設計が必要です。

新しいエネルギーも生み出していく必要があります。そのためには、従来の価値観や方法にとどまっていては、新しい枠組みは提示できないでしょう。業界も変わる必要がありますし、私たち日本人も意識を変える必要があるかもしれません。

まず複数あるリスクを並べてみる。そして忌憚《きたん》なく、多様な視点から議論を重ねる。私たちはそうした場がつくられるよう、今後も取材と提言を続け、課題解決に向けた材料を提供していきたいと考えています。

2023年5月

水野倫之
山崎淑行

編集協力　伴田 薫
校閲　金子亜衣
図版作成　手塚貴子
ＤＴＰ　佐藤裕久

水野倫之 みずの・のりゆき

NHK解説委員。名古屋市生まれ。初任地・青森で核燃料サイクル施設を担当して以降、原子力・エネルギー問題の取材を続け、福島第一原発の事故では連日ニュース等で解説。その後も再エネや電力危機などの取材を続けるかたわら、宇宙や文化ネタも手掛ける。著書に『世の中への扉――日本一わかりやすいエネルギー問題の教科書』(講談社)、『緊急解説! 福島第一原発事故と放射線』(NHK出版新書、共著)など。

山崎淑行 やまさき・よしゆき

NHKニュースデスク、ラジオ第1「NHKジャーナル」キャスター。1969年、山口県生まれ。エネルギー、宇宙、環境など幅広く取材。高速炉もんじゅ事故、東海村臨界事故、福島第一原発事故など主要な原発事故はほとんど取材。NHKスペシャル「メルトダウン」など多数の番組を手掛ける。著書に『ドキュメント「はやぶさ2」の大冒険』(講談社、共著)、『緊急解説! 福島第一原発事故と放射線』(NHK出版新書、共著)など。

NHK出版新書 702

徹底解説
エネルギー危機と原発回帰

2023年7月10日 第1刷発行

著者 水野倫之 山崎淑行 ©2023 Mizuno Noriyuki, Yamasaki Yoshiyuki

発行者 松本浩司

発行所 NHK出版
〒150-0042 東京都渋谷区宇田川町10-3
電話 (0570) 009-321(問い合わせ) (0570) 000-321(注文)
https://www.nhk-book.co.jp (ホームページ)

ブックデザイン albireo

印刷 新藤慶昌堂・近代美術

製本 藤田製本

本書の無断複写(コピー、スキャン、デジタル化など)は、
著作権法上の例外を除き、著作権侵害となります。
落丁・乱丁本はお取り替えいたします。定価はカバーに表示してあります。
Printed in Japan ISBN978-4-14-088702-8 C0236

NHK出版新書好評既刊

史伝 北条政子
鎌倉幕府を導いた尼将軍
山本みなみ
鎌倉殿の妻、母、そして尼将軍へ。頼朝亡き後、政子はいかにして幕府を守ったのか？ 中世史の新鋭が新史料を駆使して迫る、史上随一の女傑の全貌。
673

教養としての「数学I・A」
論理的思考力を最短で手に入れる
永野裕之
二次関数や統計など高校数学の初歩に親しむことで、社会人に必須の「数学リテラシー」を身につける。数学学びなおしのプロがわかりやすく解説。
674

壁とともに生きる
わたしと「安部公房」
ヤマザキマリ
人間社会のジレンマを昆虫観察するかのように描いた戦後作家、安部公房。その恐るべき俯瞰力と先見性を、気鋭のマンガ家が生き生きと語る。
675

実践・哲学ディベート
〈人生の選択〉を見極める
高橋昌一郎
反出生主義に英語教育、ルッキズムからAI倫理、意思決定論まで。「教授」と「学生たち」のディベート形式で哲学的思考を鍛える画期的入門書！
676

『パンセ』で極める人間学
鹿島 茂
博覧強記の仏文学者が、西洋哲学の古典『パンセ』から、現代人にとって切実かつ魅力的な部分を抽出し、自身の訳と解説で編み直す、新しい哲学ガイド。
677

お白洲から見る江戸時代
「身分の上下」はどう可視化されたか
尾脇秀和
お奉行様のお裁きの前になぜ出廷者の「座席決め」が問題となったのか？ 役人たちの苦労の背後に、幕府が守ろうとしていた「正義」を見出す快作！
678

NHK出版新書好評既刊

考証
鎌倉殿をめぐる人びと
坂井孝一
大河ドラマ「鎌倉殿の13人」の時代考証者が、平安末期から鎌倉時代に活躍した人物の虚像と実像を徹底解説。人間関係や出来事の背景に迫る！
679

私の文学史
なぜ俺はこんな人間になったのか？
町田 康
現代文学の大立者・町田康が、影響を受けた文学や音楽・浪曲・落語など、自身の創作の裏側について、はじめて内面を「暴露」する文芸ファン待望の一冊。
681

メタバースビジネス覇権戦争
新 清士
プラットフォーム争奪戦を勝ち抜くのは、どの企業か?! VRビジネスを長年取材してきた著者が、GAFAMから日本企業までの動向を徹底解説！
682

オスとは何で、メスとは何か？
「性スペクトラム」という最前線
諸橋憲一郎
雌雄はじつは連続している？ 性は生涯変わり続ける？ 全ての細胞は独自に性を持っている!? 様々な生き物から解き明かす、常識が変わる生物学講義。
683

「気づき」のがん患者学
サバイバーに学ぶ治療と人生の選び方
古川雅子
現場を20年近く、100人以上の患者を取材してきた著者が、最新治療を取り入れる際の考え方、仕事も人生も諦めない方法など、ヒントを伝える。
684

脱・下流老人
年金、生きがい、つながりを立て直す
藤田孝典
高齢者の困窮はどうやって解決できるか。最低限の年金を保障する制度、生きがいの回復、地域におけるつながりの創出等の視点から提言する。
685

NHK出版新書好評既刊

試験に出る現代思想
斎藤哲也
センター試験・共通テスト「倫理」厳選23問を入口に、20世紀以降の哲学の流れと見取り図を示す。難解な思想の基本がサラリとわかる入門書！
686

壊れゆく世界の標《しるべ》
ノーム・チョムスキー
デヴィッド・バーサミアン［聞き手］
社会の底が抜けた今、我々はどのような指針とアイデアを持つことができるか？ 現代最高の知性がコロナ禍のアメリカで示した変革の構想と道筋。
687

新説 家康と三方原合戦
生涯唯一の大敗を読み解く
平山優
信玄が見抜いた、家康の弱点とは⁉ 家康に最大の危機をもたらし、その後の戦国史を大きく転換させた合戦の真相と、歴史的意義に迫る！
688

禁断の進化史
人類は本当に「賢い」のか
更科功
知能の高さと生物の繁栄は直結しているのか？ なぜ知能だけでなく、意識が進化したのか？ ベストセラー生物学者が、人類史最大の謎に迫る。
689

ゼロからの『資本論』
斎藤幸平
あの難解な『資本論』が誰にでも分かるようになる！ 話題の俊英がマルクスとともに〝資本主義後〟の世界を展望する、究極の『資本論』入門書。
690

ウィーン・フィルの哲学
至高の楽団はなぜ経営母体を持たないのか
渋谷ゆう子
奏者は全員個人事業主！ ハプスブルク家の治世から、彼らはいかに後ろ盾なしで伝統を守ってきたのか。歴史を辿り、楽団員への取材から明かす。
691

NHK出版新書好評既刊

692
徹底討論！
問われる宗教と"カルト"
島薗進　釈徹宗
若松英輔　櫻井義秀
川島堅二　小原克博
人を救うはずの宗教。"カルト"との境界はどこにあるのか。第一線にいる研究者・宗教者6人が、宗教リテラシーを身に付ける道筋を照らす。

693
モチベーション脳
「やる気」が起きるメカニズム
大黒達也
意識的な思考・行動を変えるには、無意識の「脳のやる気」を高めることが重要だ。脳が「飽きない」ための仕組みを気鋭の脳神経科学者が解説。

694
早期教育に惑わされない！
子どものサバイバル英語勉強術
関正生
早期英語教育の誤解を正し、お金と時間をかけずに子どもの英語力を伸ばすコツを伝授。700万人を教えたカリスマ講師による待望の指南書！

695
道をひらく言葉
昭和・平成を生き抜いた22人
NHK「あの人に会いたい」制作班
先達が残した珠玉の言葉が、明日への活力、生きるヒントとなる。不安の時代を生きる私たちの背中をそっと押してくれる名言、至言と出合う。

696
牧野富太郎の植物学
田中伸幸
牧野富太郎の研究、普及活動の真価とは？ NHK連続テレビ小説「らんまん」の植物監修者が、「天才植物学者」の業績をわかりやすく解説する。

697
小説で読みとく古代史
神武東遷、大悪の王、最後の女帝まで
周防柳
清張は、梅原は、黒岩重吾や永井路子は、こう考えた――。気鋭の作家が、先達の新説・異説を踏まえて「あの謎」に迫る、スリリングな古代史入門書。

NHK出版新書好評既刊

英文読解を極める
「上級者の思考」を手に入れる5つのステップ

北村一真

上級者の思考プロセスに着目し、文構造の把握や語彙増強の方法、自然な訳し方までを解説。多様なジャンルに対応する読解力を身につける。

698

ロシアの眼から見た日本
国防の条件を問いなおす

亀山陽司

急変する東アジア情勢の中で、地域の安定を生み出すために必要な国防の論理とリアリズムとは？ 元駐露外交官が日露関係史から解き明かす。

699

Z世代のアメリカ

三牧聖子

綻ぶ超大国・アメリカで育ったZ世代は、今どのように政治や社会と対峙しているのか？ 気鋭の国際政治学者が、アメリカ社会の今と未来を描き出す。

700

大人のための「中学受験算数」
問題解決力を最速で身につける

永野裕之

中学入試の算数は、数学的発想が磨かれる良問の宝庫だ。難関中の入試問題を解くことで未知なる課題を解決する力を養える画期的な一冊。

701

徹底解説 エネルギー危機と原発回帰

水野倫之
山崎淑行

原発回帰の課題から再生可能エネルギーの現状まで、NHK解説委員・デスクが日本のエネルギー問題を徹底解説。池上彰氏との特別鼎談も収載！

702